Plano de Aula
40 semanas

3º ano

CIÊNCIAS

2ª EDIÇÃO

Kelly Cláudia Gonçalves

Plano de Aula
40 semanas

3º ano

CIÊNCIAS

2ª EDIÇÃO

EXPEDIENTE

Presidente e Editor	**Italo Amadio** *(in memoriam)*
Diretora Editorial	**Katia F. Amadio**
Editor	**Eduardo Starke**
Revisão	**Roseli Simões**
	Valquíria Matiolli
Projeto Gráfico	**Reverson R. Diniz**
Diagramação	**HiDesign Estúdio**
Ilustrações	**R2 Estúdio**

Dados Internacionais de Catalogação na Publicação (CIP)
Angélica Ilacqua CRB-8/7057

```
Gonçalves, Kelly Cláudia
   Plano de aula : 40 semanas : 3º ano : ensino fundamental - anos
iniciais / Kelly Cláudia Gonçalves ; ilustrações de R2 Estúdio. --
2. ed. -- São Paulo : Rideel, 2019.
   6 v. : il.

ISBN: 978-85-339-5801-2 (Plano de aula 3º ano - Português)
ISBN: 978-85-339-5802-9 (Plano de aula 3º ano - Matemática)
ISBN: 978-85-339-5803-6 (Plano de aula 3º ano - Ciências)
ISBN: 978-85-339-5804-3 (Plano de aula 3º ano - História)
ISBN: 978-85-339-5805-0 (Plano de aula 3º ano - Geografia)
ISBN: 978-85-339-5806-7 (Plano de aula 3º ano - Livro do
professor)
ISBN: 978-85-339-5800-5 (Obra completa)

1. Educação infantil 2. Alfabetização I. Título II. R2 Estúdio

19-2403                                                    CDD 372
```

Índices para catálogo sistemático:

1. Educação infantil

© 2023 - Todos os direitos reservados à

Av. Casa Verde, 455 – Casa Verde
CEP 02519-000 – São Paulo – SP
e-mail: sac@rideel.com.br
www.editorarideel.com.br

Proibida a reprodução total ou parcial desta obra, por qualquer meio ou processo, especialmente gráfico, fotográfico, fonográfico, videográfico, internet. Essas proibições aplicam-se também às características de editoração da obra. A violação dos direitos autorais é punível como crime (art. 184 e parágrafos, do Código Penal), com pena de prisão e multa, conjuntamente com busca e apreensão e indenizações diversas (artigos 102, 103, parágrafo único, 104, 105, 106 e 107, incisos I, II e III, da Lei nº 9.610, de 19-2-1998, Lei dos Direitos Autorais).

3 5 7 9 8 6 4 2
0 1 2 3

Apresentação

A proposta apresentada na Coleção Plano de Aula está de acordo com a proposta da Base Nacional Comum Curricular (BNCC) Ensino Fundamental – Anos Iniciais. Ela apresenta uma progressão das múltiplas aprendizagens, articulando o trabalho com as experiências anteriores e valorizando as situações lúdicas de aprendizagem.

Tal articulação precisa prever tanto a progressiva sistematização dessas experiências quanto o desenvolvimento, pelos alunos, de novas formas de relação com o mundo, novas possibilidades de ler e formular hipóteses sobre os fenômenos, de testá-las, de refutá-las, de elaborar conclusões, em uma atitude ativa na construção de conhecimentos.

A proposta da Coleção é compreender as mudanças no processo do desenvolvimento da criança – como a maior autonomia nos movimentos e a afirmação de sua identidade.

As atividades propostas propõem o estímulo ao pensamento lógico, criativo e crítico, bem como sua capacidade de perguntar, argumentar, interagir e ampliar sua compreensão do mundo.

A progressão do conhecimento ocorre pela consolidação das aprendizagens anteriores e pela ampliação das práticas de linguagem e da experiência estética e intercultural das crianças, considerando tanto seus interesses e suas expectativas quanto o que ainda precisam aprender.

A Coleção assegura, ainda, um percurso contínuo de aprendizagem e uma maior integração entre as duas etapas do Ensino Fundamental, e traz cinco volumes: Língua Portuguesa, Matemática, Ciências da Natureza e Ciências Humanas (História e Geografia).

Com o intuito de garantir o desenvolvimento das competências específicas de área, cada componente curricular possui um conjunto de habilidades que estão relacionadas aos objetos de conhecimento (conteúdos, conceitos e processos) e que se organizam em unidades temáticas.

Entre os componentes curriculares presentes na BNCC, apenas Língua Portuguesa – da área de linguagens – não está estruturada em unidades temáticas. Ou seja, ela se organiza em práticas de linguagem (leitura/escuta, produção de textos, oralidade e análise linguística/semiótica), campos de atuação, objetos de conhecimento e habilidades.

Kelly Cláudia Gonçalves

Sobre a autora

Kelly Cláudia Gonçalves é pedagoga e psicopedagoga. Possui especialização em Alfabetização e Letramento. É diretora de escola privada e autora de diversas coleções pedagógicas, como *Aprendendo com Videoaulas, Atividades para Projetos, Alfabetizando no 2º Período, Cantando & Aprendendo, Cantando e Aprendendo com a Galinha Pintadinha, Cantando e Aprendendo com Datas Comemorativas, Oficina de Reforço Escolar, Oficina para Casa – Educação Infantil e Ensino Fundamental I.*

Sumário

1ª e 2ª semanas - A natureza 9
3ª e 4ª semanas - Universo 14
5ª semana - As fases da Lua 18
6ª semana - Movimentos da Terra 22
7ª semana - Orientação pelo Sol 25
8ª semana - O ar 29
9ª semana - Experiência: ar 34
10ª semana - O ar que respiramos 36
11ª semana - Experiência: plantas 40
12ª semana - Ar poluído 42
13ª semana - Água 46
14ª semana - Experiência: cadê a água? 50
15ª semana - Ciclo da água na natureza 52
16ª semana - Experiência: formando a chuva 56
17ª semana - Poluição das águas 58
18ª semana - O solo 62
19ª semana - Ainda sobre solo 65
20ª semana - Experiência: tipos de solo 69
21ª semana - As plantas 71
22ª semana - Os animais 79
23ª semana - Os grupos de animais 83
24ª semana - Álbum dos animais 86

25ª semana - Dengue, zika e chikungunya ... 91

26ª semana - Febre amarela ... 96

27ª semana - Alimentação dos animais ... 99

28ª semana - Os animais e as indústrias ... 103

29ª semana - Ecossistemas ... 105

30ª semana - Mais informações sobre a cadeia alimentar ... 109

31ª semana - Relação entre seres vivos de espécies diferentes ... 113

32ª semana - O corpo humano ... 116

33ª semana - Cuidados que devermos ter com nosso corpo ... 120

34ª semana - Os músculos ... 124

35ª semana - Os sentidos ... 128

36ª semana - Reciclagem ... 133

37ª semana - Fazendo papel ... 138

38ª semana - Origem dos alimentos ... 139

39ª semana - Alimentação e saúde ... 144

40ª semana - Primeiros socorros ... 149

NOME: _____

DATA: ___/___/_____

A NATUREZA

A relação do homem com a natureza gera muitos benefícios.

Devemos proteger a natureza e cuidar dela com respeito.

O ar, a água, o solo, a luz e o calor do sol, os minerais e os seres vivos são componentes da natureza.

O petróleo, o ouro, o ferro, as pedras preciosas, a madeira das florestas, a água dos rios e mares são alguns dos recursos naturais explorados pelo homem.

- A água: é indispensável para os animais e as plantas.
- O ar: é essencial para a vida dos animais e das plantas.
- O solo: é nele que plantamos, construímos e encontramos minerais úteis ao homem.
- Os animais: servem como alimento, transporte e auxílio ao homem.
- O sol: fornece luz e calor, faz bem à saúde e ajuda no desenvolvimento das plantas.
- As plantas: servem de alimento, podem ser empregadas na construção de casas, na produção de móveis, entre outras aplicações. São úteis e purificam o ar.

Ambiente é tudo o que nos cerca, o que está ao nosso redor, como o céu, o ar, as pessoas, os animais e as plantas.

No ambiente, há seres vivos e seres não vivos.

NOME: _____

DATA: ____/____/_____

1. Escreva o nome das figuras e, depois, dentro dos quadrinhos, anote **SV** para seres vivos ou **NV** para seres não vivos:

NOME: _____

DATA: ____/____/_____

1ª e 2ª SEMANAS

2. Recorte uma gravura de ambiente natural e cole-a no espaço a seguir:

A) Como é o ambiente que você escolheu?
_____

B) Escreva o nome de dois seres vivos desse ambiente.
_____

C) Agora, escreva o nome de dois seres não vivos.
_____

D) Cite alguns cuidados que devemos ter para preservar o meio ambiente.
_____

NOME: _____

DATA: ____/____/_____

3. Desenhe animais que vivem:

Água

Terra

Ar

NOME: ______________________________

DATA: ___/___/_____

1ª e 2ª SEMANAS

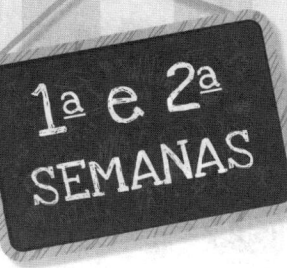

4. No ambiente a seguir, só há seres não vivos. Desenhe vários seres vivos para compô-lo.

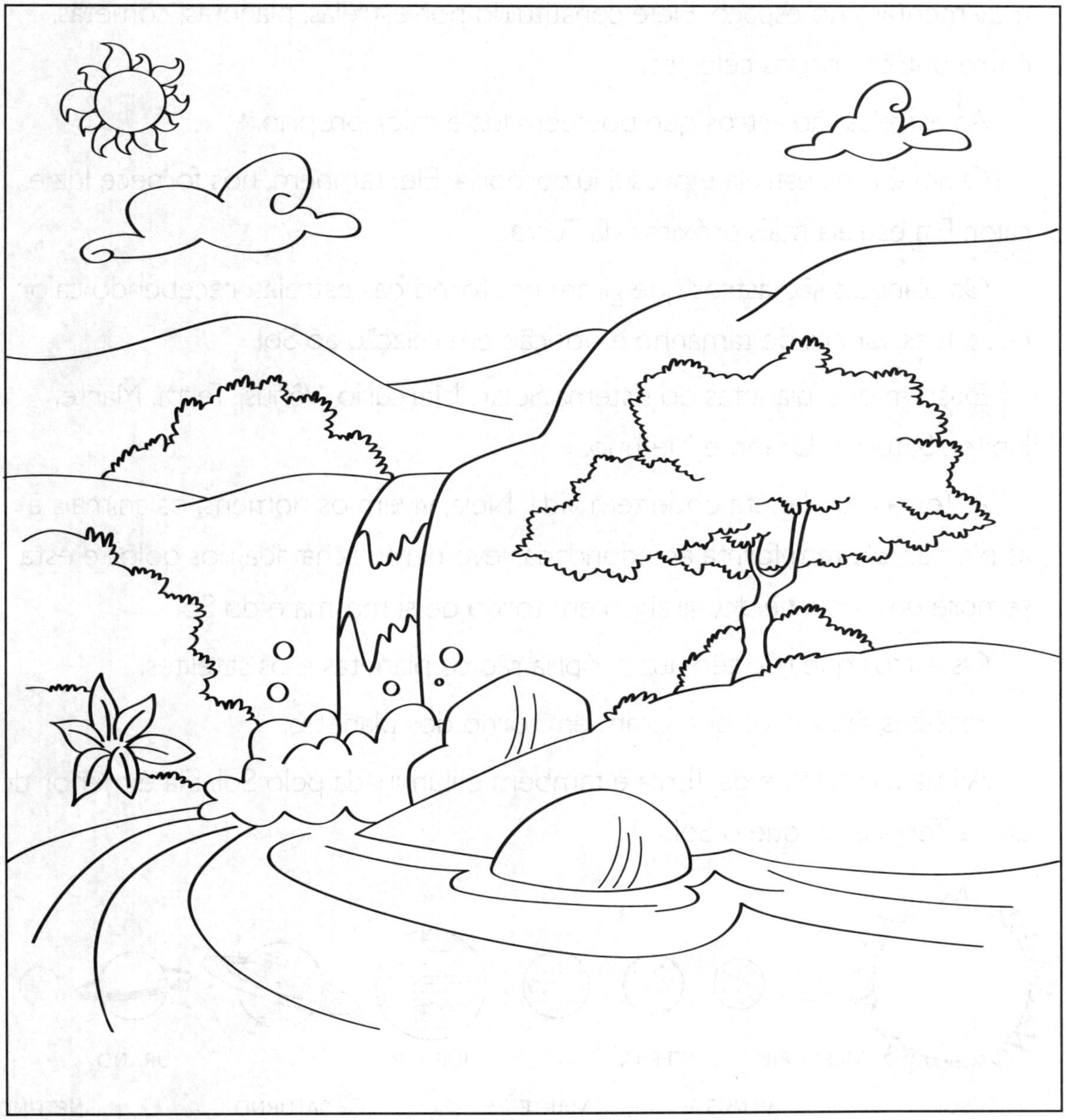

NOME: _____

DATA: ____/____/_____

UNIVERSO

O universo é um conjunto formado por todos os astros que se movimentam no espaço. Ele é constituído por estrelas, planetas, cometas, entre outros corpos celestes.

As estrelas são astros que possuem luz e calor próprio.

O Sol é uma estrela e possui luz própria. Ele, também, nos fornece luz e calor. É a estrela mais próxima da Terra.

Os planetas são astros que giram em torno das estrelas, recebendo calor e luz. Eles variam de tamanho e posição em relação ao Sol.

Existem oito planetas do sistema Solar: Mercúrio, Vênus, Terra, Marte, Júpiter, Saturno, Urano e Netuno.

A Terra é o planeta onde tem vida. Nela, vivem os homens, os animais e as plantas. Ela tem forma arredondada, levemente achatada nos polos e está sempre em movimento, girando em torno de si mesma e do Sol.

Os astros que não têm luz própria são os planetas e os satélites.

Satélites são astros que giram em torno dos planetas.

A Lua é o satélite da Terra e também é iluminada pelo Sol. Ela é menor do que a Terra e do que o Sol.

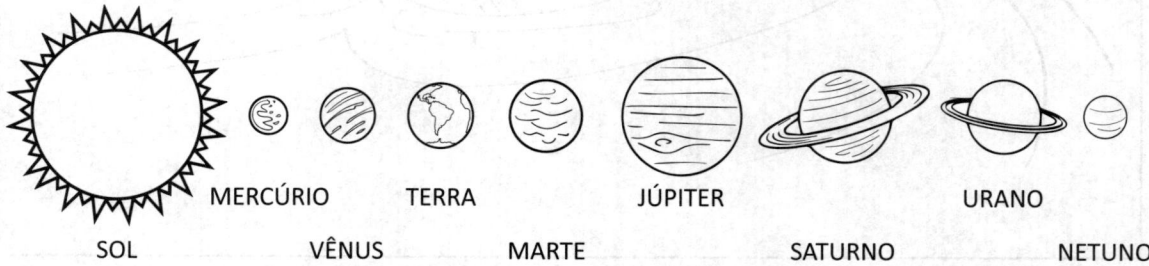

1. Observe o desenho do sistema solar e responda:

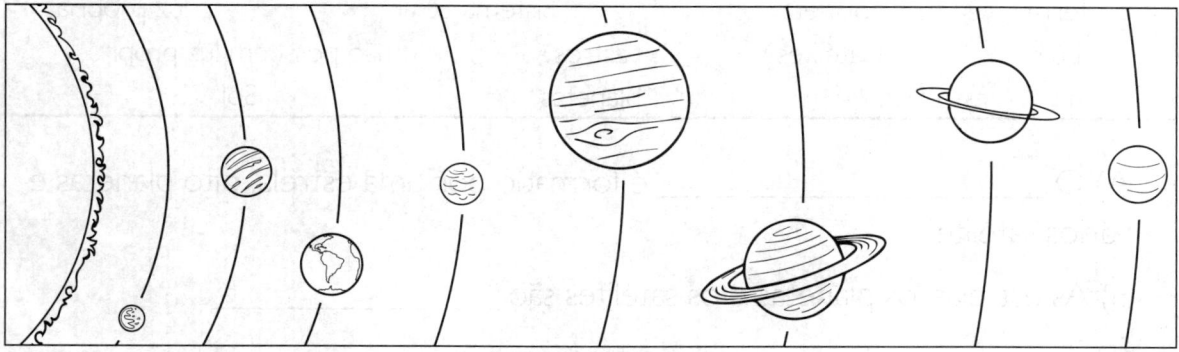

A) Qual o primeiro planeta do sistema solar?
_____

B) Qual o único planeta que existe vida?
_____

C) Qual planeta é o mais quente? Por quê?
_____

D) Qual o planeta conhecido pelos anéis?
_____

E) Qual o último planeta do sistema solar?
_____

F) Por que você acha que o planeta Netuno é o mais frio?
_____

NOME: _____

DATA: ____/____/_____

2. Complete as frases com uma das palavras do quadro:

Terra	planeta	Sistema Solar	luz própria
Lua	satélites	astros	não possuem luz própria
	estrelas	planetas	Sol

A) O _____ é formado por uma estrela, oito planetas e vários satélites.

B) As estrelas, os planetas e os satélites são _____.

C) As _____ são astros que têm _____ como o Sol.

D) Os planetas são astros que _____ e giram ao redor do _____.

E) Os _____ são astros que têm luz própria e giram ao redor de um _____.

F) A _____ é o satélite natural da _____.

3. Encontre no diagrama de palavras o nome dos planetas e escreva-os na ordem que aparecem no sistema solar:

A) _____
B) _____
C) _____
D) _____
E) _____
F) _____
G) _____
H) _____

```
K M E R C Ú R I O L X J
M U T A B M V Q N M Z Ú
V Ê N U S B R X Z W H P
A B N M Z X T R S L K I
M T K N E T U N O E U T
I E H K Ç J K G F N I E
Y R G S A T U R N O N R
R R V J R U R W T Y F E
W A X H E E A Q D S A H
B Q C I A A N G I A J N
M A R T E N O T X V Q V
```

16   3º ano — 2A EDIÇÃO

NOME: _____

DATA: ____/____/_____

4. Sobre a Terra e o Universo, marque a resposta certa:

   A) Qual é o nome do planeta em que vivemos?

   ☐ Marte   ☐ Vênus   ☐ Saturno   ☐ Terra

   B) A Terra é:

   ☐ um astro luminoso porque possui luz própria.

   ☐ um astro iluminado porque não possui luz própria.

   C) O satélite natural da Terra é:

   ☐ Cometa   ☐ Sol   ☐ Saturno   ☐ Lua

5. Responda:

   A) A Terra gira em torno de qual estrela?

   _____

6. Esta é uma representação do nosso planeta visto do espaço. Pinte os oceanos de azul e os continentes de marrom.

NOME: _____

DATA: ____/____/_____

AS FASES DA LUA

A Lua se movimenta ao redor da Terra, recebendo a luz do Sol em algumas de suas partes.

No decorrer do mês, a Lua se apresenta de diferentes formas, dependendo da parte que é iluminada pelo Sol. Essas partes iluminadas são as que enxergamos daqui da Terra e são conhecidas como fases da Lua.

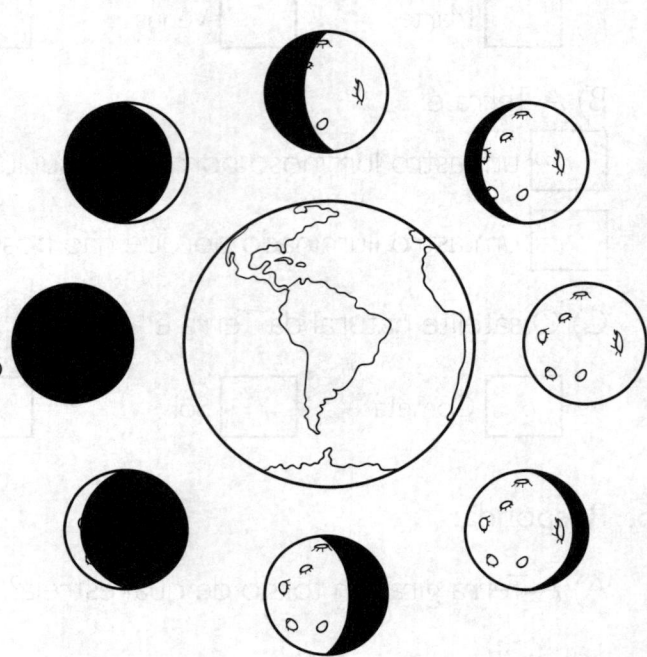

A Lua não tem luz própria, mas reflete a luz do Sol de formas variadas, conforme a posição em que se encontra.

- Lua cheia: a luz solar é refletida em toda a superfície visível da Lua.
- Lua nova: o Sol ilumina a face oculta da Lua, que não pode, assim, refletir sua luz sobre a Terra.
- Quarto crescente e quarto minguante: apenas a metade da superfície visível da Lua é iluminada.

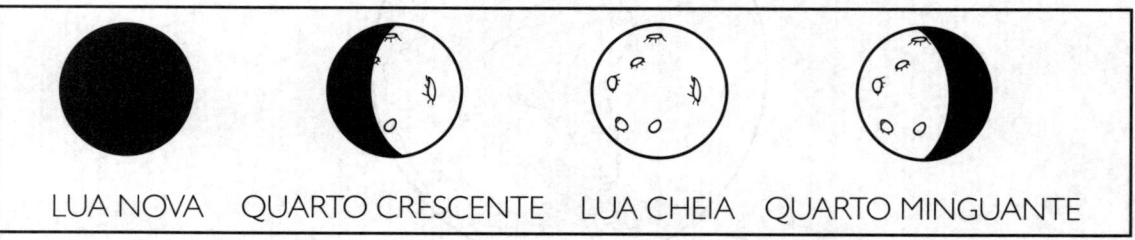

LUA NOVA   QUARTO CRESCENTE   LUA CHEIA   QUARTO MINGUANTE

NOME: ____________________________________

DATA: ___/___/_____

5ª SEMANA

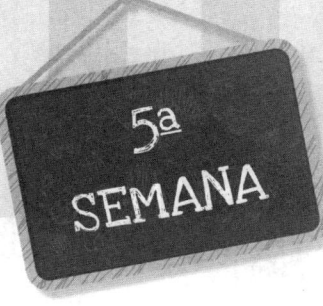

1. Responda:

A) Por que a Lua possui fases?

____

____

B) Quais são as quatro fases da Lua?

____

____

C) A Lua possui luz própria? Explique.

____

____

2. Identifique as fases da Lua:

A) ______________

C) ______________

B) ______________

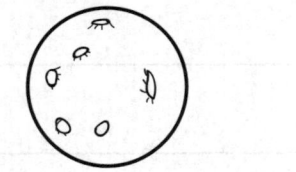

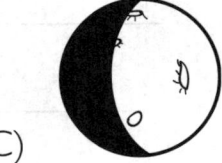

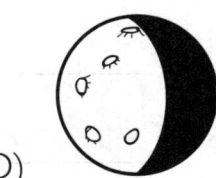

D) ______________

NOME: _____

DATA: ____/____/_____

3. Defina cada fase da Lua:

A) Lua minguante

_____
_____
_____

B) Lua cheia

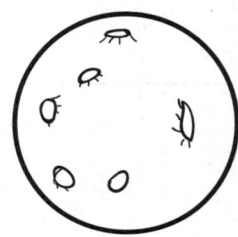

_____
_____
_____

C) Lua crescente

_____
_____
_____

D) Lua nova

_____
_____
_____

NOME: _____

DATA: ___/___/_____

5ª SEMANA

4. Desenhe as fases da Lua:

Nova

Crescente

Minguante

Cheia

3º ano — 2A EDIÇÃO

21

NOME: _____

DATA: ___/___/_____

MOVIMENTOS DA TERRA

A Terra faz dois movimentos no espaço: o de **rotação** e o de **translação**.

No movimento de rotação, a Terra gira em torno de si mesma, produzindo os dias e as noites. Ele dura 24 horas. Ao girar, uma parte da Terra é iluminada pelo Sol, enquanto a outra permanece no escuro. Na parte iluminada é dia, na outra é noite.

No movimento de translação, a Terra dá uma volta completa ao redor do Sol. É uma volta muito grande, que demora 365 dias e 6 horas, ou seja, um ano. Esse movimento também dá origem às estações do ano: primavera, verão, outono e inverno.

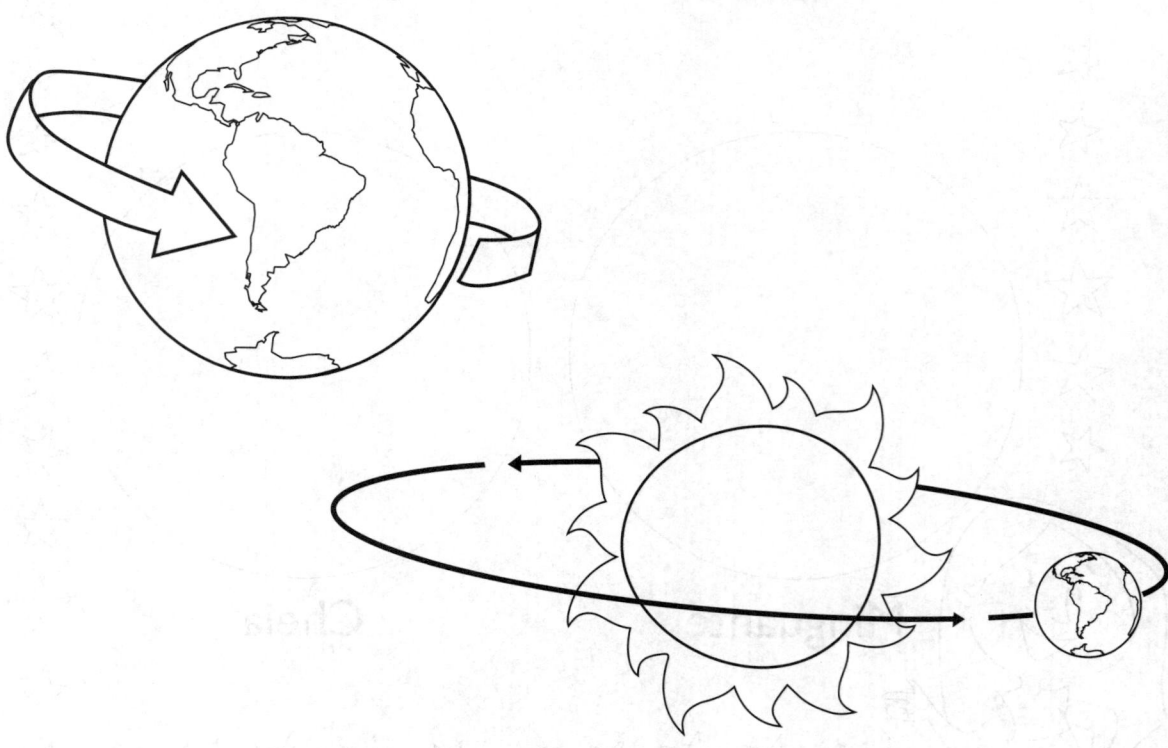

NOME: _____

DATA: ___/___/_____

1. Escreva (R) para movimento de rotação e (T) para movimento de translação:

   ☐ É responsável pelas estações do ano.

   ☐ É responsável pelos dias e pelas noites.

   ☐ Dura 24 h.

   ☐ Dura 365 dias.

   ☐ É o movimento que a Terra faz em torno de si mesma.

   ☐ É o movimento que a Terra faz em torno do Sol.

2. Desenhe o movimento de rotação e translação. Não deixe de identificá-los:

NOME: _____

DATA: ____/____/_____

3. Complete as frases:

A) Quando a Terra gira em torno do Sol, damos o nome de _____ _____.

B) Quando a Terra gira em torno de si mesma, damos o nome de _____ _____.

C) Graças ao movimento de _____, temos as estações do ano.

D) O movimento de rotação leva _____ para acontecer.

4. Marque a opção correta:

A) O movimento de rotação acontece no sentido:

☐ Anti-horário   ☐ Horário

5. Observe o movimento mostrado na figura e marque a opção correta:

☐ Rotação   ☐ Translação

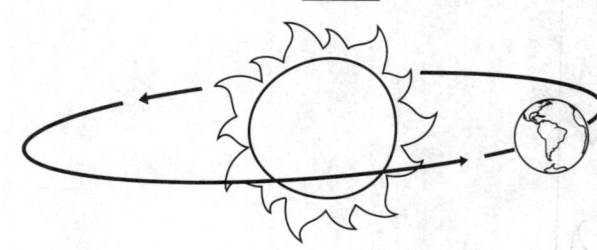

Justifique:
_____
_____
_____

NOME: _____

DATA: ___/___/_____

ORIENTAÇÃO PELO SOL

Os pontos cardeais são: norte, sul, leste e oeste.

Para encontrar os pontos cardeais, basta acompanhar o Sol.

De manhã, uma parte da Terra recebe a luz do Sol. É o nascer do Sol. Chamamos de **nascente** o lugar onde o Sol nasce.

À tarde, uma parte da Terra fica escura. É a noite chegando. O lugar onde o Sol se põe é chamado de **poente**.

Podemos nos orientar por meio da posição do Sol, seguindo estas orientações:

- Devemos apontar o braço direito para o nascente. Assim, encontraremos o leste.
- O braço esquerdo apontará para o poente e encontraremos o oeste.
- À frente, estará o norte, e, às costas, o sul.

Para encontrar os pontos cardeais, devemos nos orientar pelo local onde o Sol nasce, o nascente.

3º ANO — 2A EDIÇÃO

7ª SEMANA

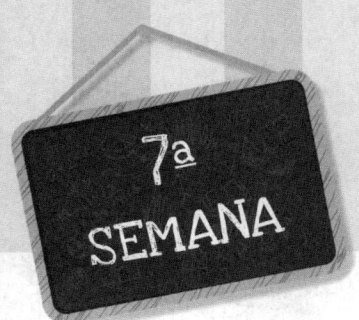

NOME: ____________________

DATA: ___/___/______

1. Observe o desenho e complete as frases a seguir:

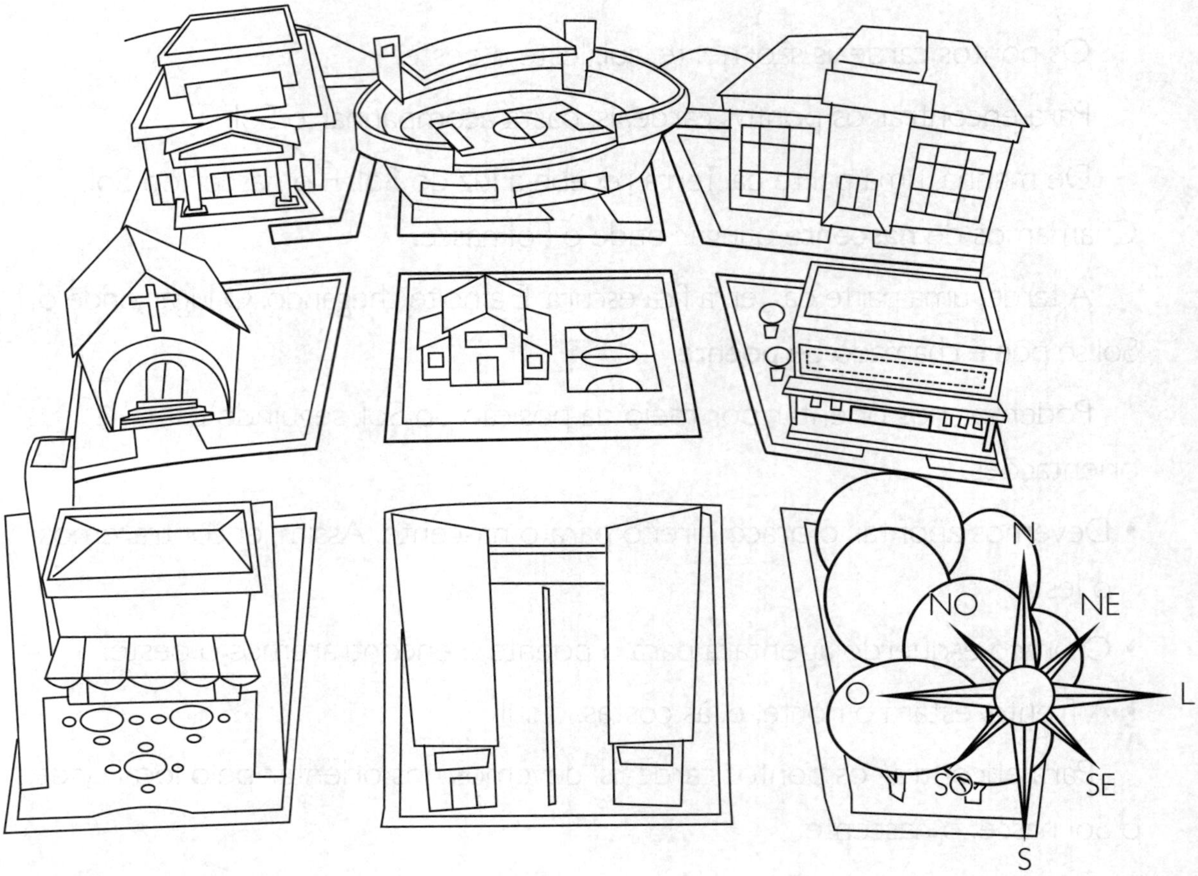

A) A igreja localiza-se à ____________________ da escola.

B) O campo de futebol localiza-se ____________________ da escola.

C) A rodoviária localiza-se ____________________ da escola.

D) O cinema localiza-se à ____________________ da escola.

NOME: _____

DATA: ____/____/_____

2. Observe a ilustração do exercício anterior. Considere a escola como referência. Depois, localize os lugares indicados, e complete as frases, utilizando somente os pontos cardeais.

A) A igreja localiza-se a _____ da escola.

B) O campo de futebol localiza-se a _____ da escola.

C) A rodoviária localiza-se a _____ da escola.

D) O cinema localiza-se a _____ da escola.

3. Localize, com pontos cardeais, os seguintes itens na sala de aula e responda às questões:

SALA DE AULA

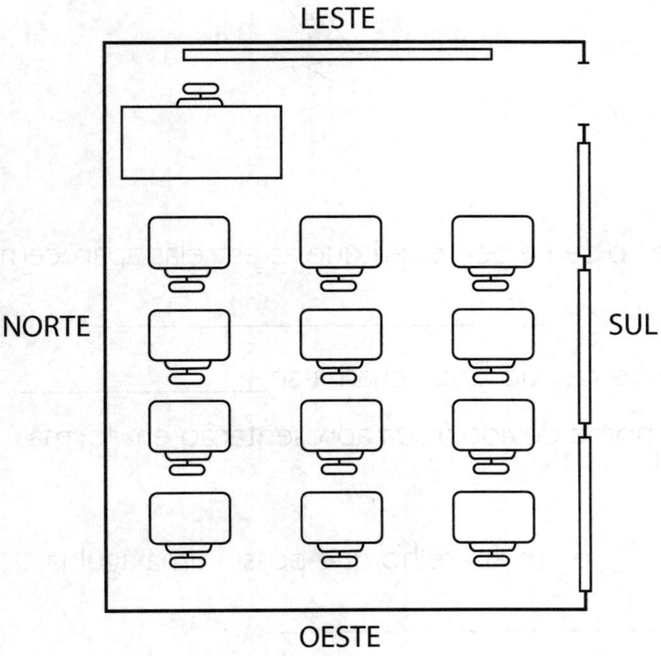

LESTE

NORTE   SUL

OESTE

A) Em que ponto cardeal fica a mesa do professor?

_____

_____

B) E a porta de entrada?

_____

_____

C) E o fundo da sala?

_____

_____

3º ano — 2A EDIÇÃO   27

4. Complete o texto com uma das palavras do quadro:

ORIENTAÇÃO PELO SOL

Norte	nasce	estrelas	Oeste
Leste	constelação	nascente	cruz
poente	Cruzeiro do Sul	Sol	bússola

O dia começa quando o Sol _____.

O lugar onde o Sol nasce é chamado de _____. O nascente é também chamado de _____.

O lugar onde o Sol desaparece à tardinha é chamado de _____. O poente é também chamado de _____.

O _____ é um importante meio de orientação. Além dele, temos também as _____.

O homem procurou conhecer o céu e percebeu que as estrelas aparecem agrupadas. Esse agrupamento chama-se _____.

Essa constelação que aparece no céu do Brasil chama-se _____ _____. Ela tem esse nome devido à sua apresentação em forma de _____.

A _____ é um aparelho que possui uma agulha que sempre aponta para o _____.

NOME: _____

DATA: ___/___/_____

O AR

O ar está presente em diversos lugares.

Nos balões voando, na pipa no céu, nas folhas balançando nas árvores, e em muitas outras situações podemos sentir a presença do ar.

Ele é indispensável à vida de muitos seres vivos, pois, sem ele, não poderiam respirar nem viver.

O ar puro não tem cheiro nem sabor.

Quando o ar se movimenta, ele forma o vento, havendo vários tipos dele na natureza:

- Brisa: quando o ar se movimenta de forma suave. É quando ele balança as árvores e nos refresca.
- Ventania: é o ar se movimentando de forma muito forte, sendo difícil até andar. A poeira levanta, formando redemoinhos.
- Furacão: vento de força devastadora. Destrói tudo o que atinge.

Os aparelhos usados para indicar a velocidade e a direção dos ventos são:

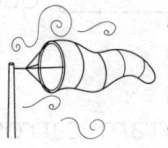 A biruta é usada para indicar a direção do vento.

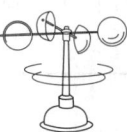 O anemômetro é usado para medir a velocidade do vento.

 O cata-vento é um aparelho que indica a direção do vento.

O planeta Terra está envolvido em uma extensa camada de ar, que chamamos de atmosfera, que é formada por gases.

NOME: _____

DATA: ___/___/_____

1. Observe a imagem e complete as frases com as palavras do quadro:

```
ar   Terra   sobrevivência
    gases   oxigênio
  respirar   nariz   boca
 pulmões   oxigênio   sangue
  plantas   ambiente natural
   corpo   respirar   cidades
```

O _____ está em volta da _____ e é muito importante para nossa _____.

O ar está presente em tudo que aparece na imagem acima.

O ar é uma mistura de _____, entre eles, _____, que usamos para _____.

O ar entra pelo _____ e sai pela _____ e vai até os _____.

Aí o _____ passa para o _____, que percorre todo o nosso _____

Na figura, há muitas _____. Nela não entram carros. Por isso, o ar de um _____ como o da figura é melhor para _____ do que o ar das grandes _____.

A) Escreva algumas situações em que você pode perceber o ar na figura.

_____
_____

NOME: _____

DATA: ___/___/_____

8ª SEMANA

2. De acordo com os textos lidos e estudados sobre o ar, responda:

A) Onde podemos encontrar o ar?
_____
_____

B) Qual a importância do ar?
_____
_____

C) Podemos ver o ar?
_____

D) Encontramos oxigênio no ar?
_____

E) Como podemos perceber o ar?
_____
_____

F) Quais os principais tipos de vento?
_____
_____
_____

G) Cite o nome do aparelho para indicar a direção do vento.
_____

NOME: _____

DATA: ____/____/_____

3. Faça um desenho no qual aparecem várias situações em que o ar está presente e registre todas elas.

NOME: ____

DATA: ____/____/________

8ª SEMANA

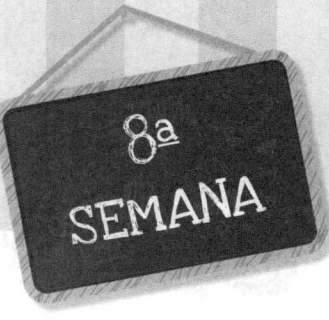

4. Escreva por que você acha que o planeta Terra está doente:

____

____

____

____

____

____

____

____

____

____

____

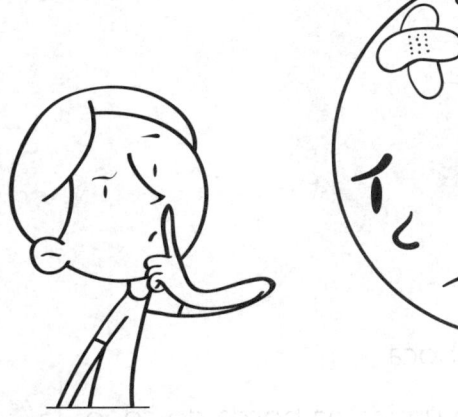

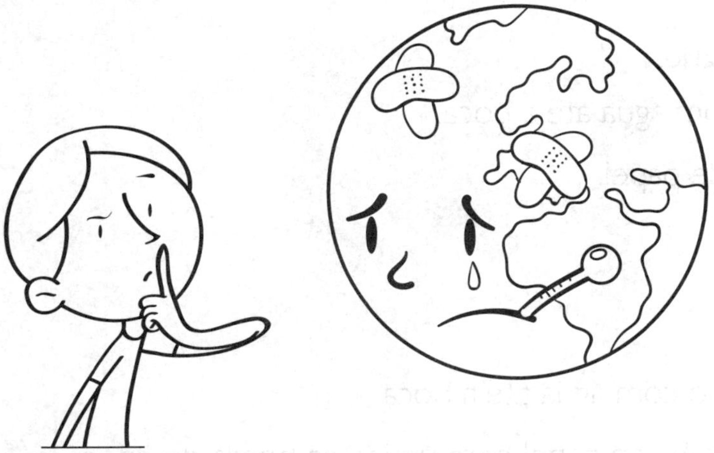

9ª SEMANA

NOME: _____

DATA: ___/___/_____

EXPERIÊNCIA: AR

Material necessário:
- Um copo com água até a boca.
- Uma folha de papel.
- Um livro.

Como fazer:
- Encha o copo com água até a boca.
- Coloque a folha de papel bem úmida na borda do copo.
- Apoie o livro sobre a folha de papel.
- Vire de boca para baixo todo o conjunto e, em seguida, tire o livro.

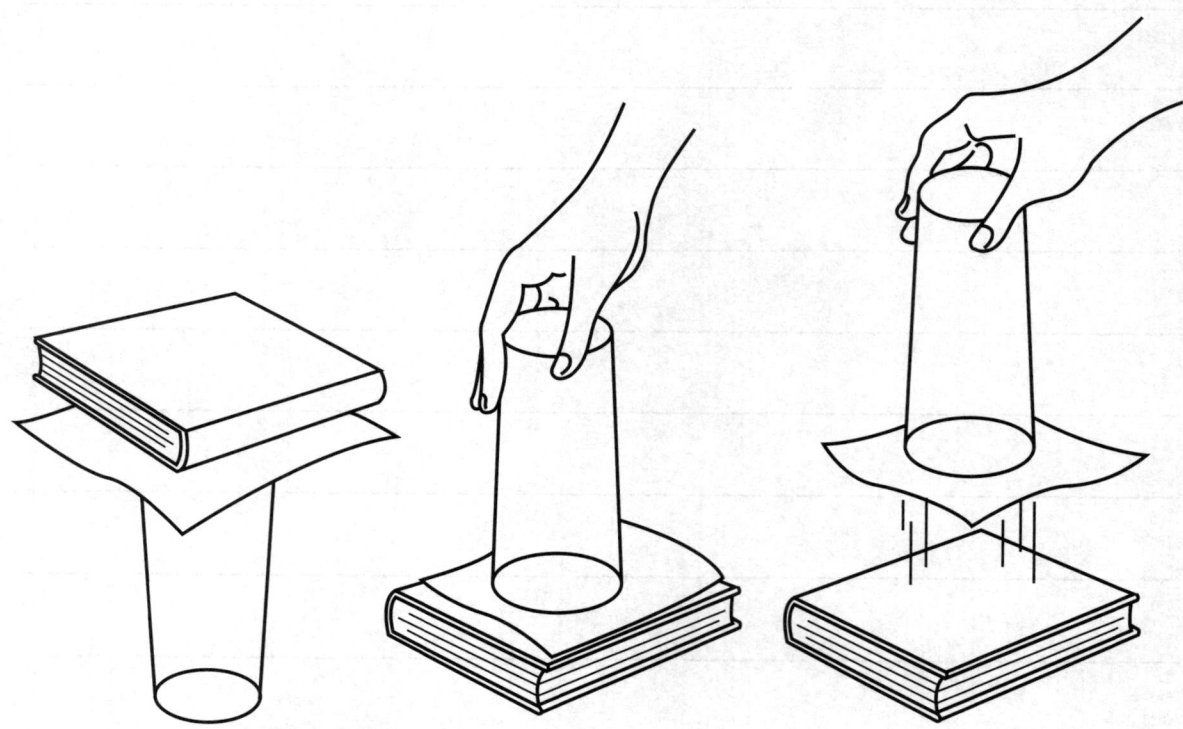

NOME: _____

DATA: ____/____/_____

9ª SEMANA

1. Agora responda de acordo com o que você concluiu sobre a experiência da página anterior:

    A) Por que a água não caiu?
    _____
    _____

    B) Como é exercida a pressão do ar?
    _____

    C) O que é pressão atmosférica?
    _____

    D) Explique com suas palavras:
    "O ar ocupa espaço e tem peso."
    _____

    E) Marque (**V**) para verdadeiro e (**F**) para falso:

    ☐ O ar ocupa espaço.

    ☐ O ar não tem peso.

    ☐ A pressão do ar é exercida só de baixo para cima.

    ☐ O ar tem peso e ocupa espaço.

    ☐ A pressão do ar é maior quando estamos deitados.

    ☐ O ar exerce pressão em todos os sentidos.

    ☐ Todos os corpos exercem pressão quando estão sobre outros corpos.

3º ano – 2A EDIÇÃO

NOME: _____

DATA: ____/____/_____

O AR QUE RESPIRAMOS

Inspiramos oxigênio e liberamos gás carbônico.

O ar é formado por vários gases. Entre eles estão o gás carbônico e o oxigênio. Sem o gás carbônico, as plantas não produziriam seus alimentos.

Os vegetais fabricam o próprio alimento por meio de:

- Clorofila (pigmentação que dá cor verde às plantas): que absorve a luz do Sol para a realização da fotossíntese.
- Água e sais minerais: que são retirados do subsolo pela raiz.
- Gás carbônico: que é absorvido do ar.

O processo de produção de alimento das plantas chama-se fotossíntese e é realizada durante o dia.

A respiração da planta é parecida com a do homem. Todos absorvem oxigênio. Durante a noite, as plantas absorvem gás carbônico e liberam oxigênio.

No campo, o ar é considerado mais puro porque há uma grande concentração de plantas.

1. Observe a figura e responda:

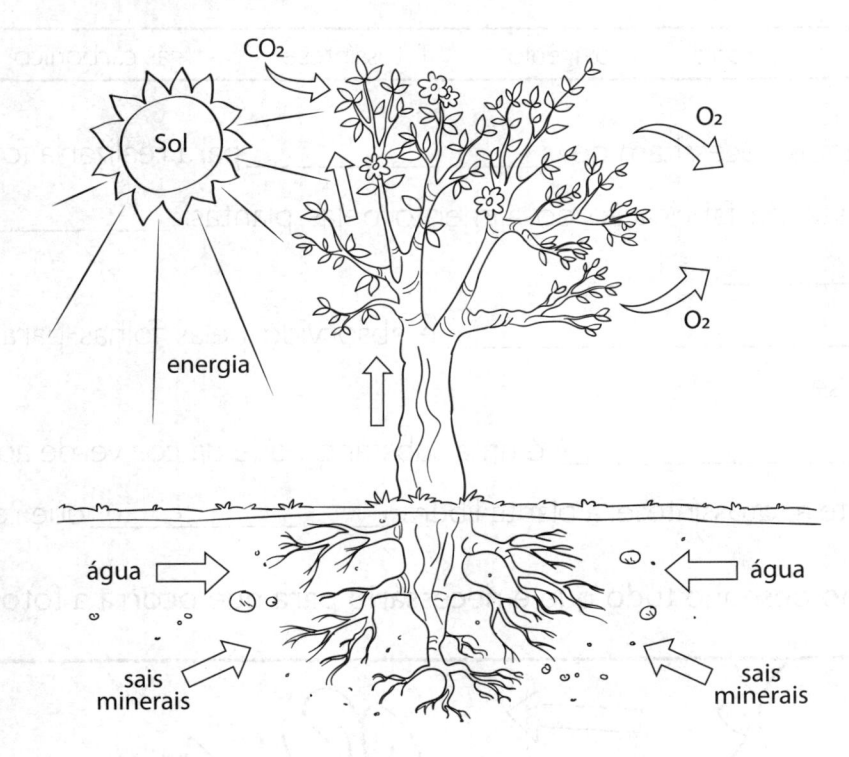

A) Qual parte da planta absorve a energia do Sol para realizar a fotossíntese?
_____

B) O que significam os símbolos O_2 e CO_2?
_____

C) Qual parte da planta retira água e sais minerais do solo?
_____

D) Qual parte da planta distribui a água e os sais minerais por todo o vegetal?
_____

NOME: _____

DATA: ___/___/_____

10ª SEMANA

2. Complete as frases com uma das palavras do quadro:

| luz | clorofila | oxigênio | fotossíntese | gás carbônico |

A) As plantas necessitam de _____ para realizar a fotossíntese.

B) Processo de fabricação do alimento pelas plantas: _____.

C) O _____ é absorvido pelas folhas para realizar a fotossíntese.

D) A _____ é uma substância que dá cor verde aos vegetais.

E) Durante a fotossíntese, a planta libera _____ que renova o ar.

3. Escreva no desenho tudo que é necessário para que ocorra a fotossíntese:

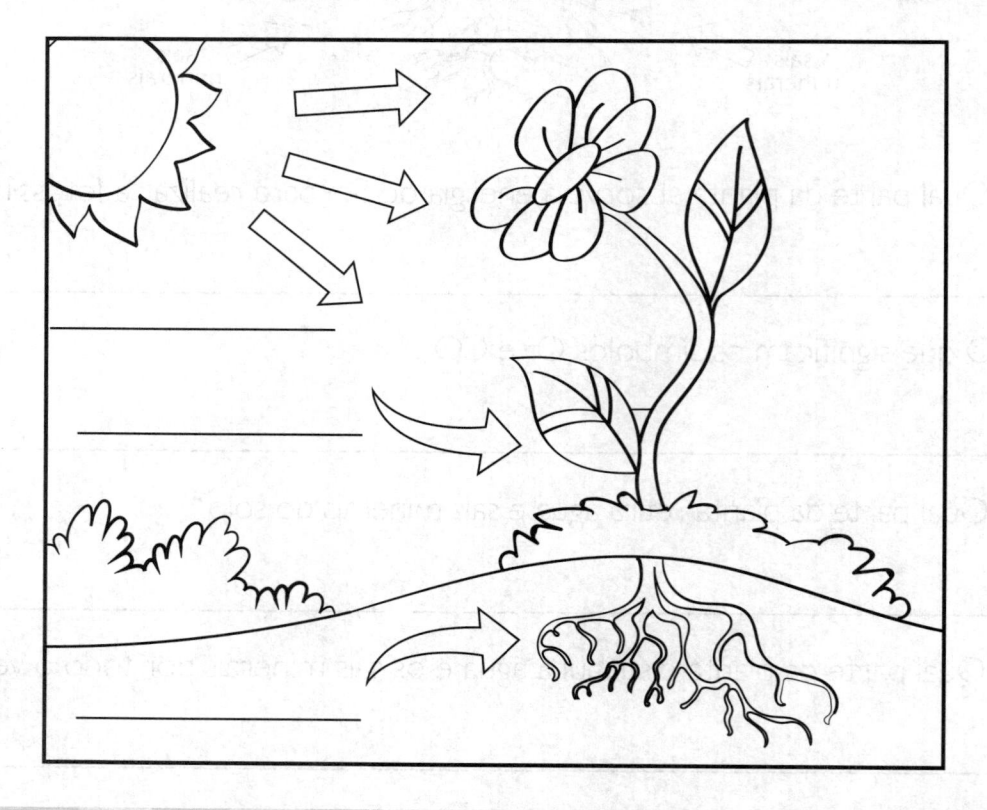

NOME: _____

DATA: ___/___/_____

10ª SEMANA

4. Sublinhe a frase que define, de modo simplificado, o que é fotossíntese.

   A) Reprodução dos vegetais.

   B) Fabricação de alimento pelo próprio vegetal.

   C) Retirada de água do solo feita pelas raízes.

5. Marque a opção correta:

   A) Em qual parte da planta é realizada a fotossíntese?

   ☐ caule   ☐ flores   ☐ folhas

   ☐ frutos ☐ raízes

   B) Que substância capta a energia solar durante o processo de fotossíntese?

   ☐ água   ☐ sais minerais   ☐ clorofila

   C) Qual gás as folhas dos vegetais absorvem do ar?

   ☐ oxigênio   ☐ nitrogênio   ☐ gás carbônico

   D) Que gás as plantas liberam no ambiente?

   ☐ oxigênio   ☐ nitrogênio   ☐ gás carbônico

NOME: _____

DATA: ___/___/_____

11ª SEMANA

EXPERIÊNCIA: PLANTAS

Material necessário:

- Planta (samambaia-havaiana).
- Recipiente grande de vidro.
- Água.
- Bicarbonato de sódio.
- Colher.

Como fazer:
- Coloque a água no recipiente de vidro.
- Insira a planta dentro do recipiente.
- Meça mais ou menos 2 colheres de bicarbonato de sódio e acrescente ao recipiente.
- Espere alguns instantes para ver o resultado.

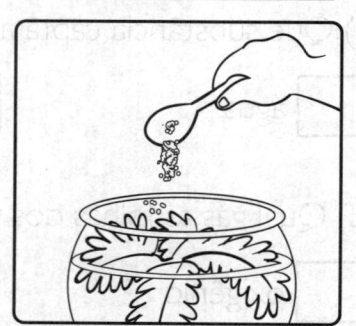

NOME: _____

DATA: _____/_____/_____

11ª SEMANA

Conclusão:

1. Registre o que você observou no término do experimento:

_____
_____
_____
_____
_____
_____
_____
_____

3º ano – 2A EDIÇÃO

NOME: _____

DATA: ____/____/_____

12ª SEMANA

AR POLUÍDO

O ar poluído faz muito mal à saúde de todos os seres vivos. Causa doenças que podem levar à morte.

A fumaça dos automóveis, das fábricas, das queimadas e o cheiro ruim dos lixos poluem o ar, causando sérios problemas respiratórios e tornando o ar poluído.

As plantas renovam o ar, tornando-o mais saudável e agradável à nossa vida. Por isso é importante fazer o reflorestamento.

Os prédios e as fábricas estão tomando conta das grandes cidades e as árvores estão desaparecendo desses lugares.

Não podemos nos esquecer das queimadas e dos desmatamentos. Se evitarmos as derrubadas e praticarmos sempre o reflorestamento, estaremos ajudando o planeta.

NOME: _____

DATA: ___/___/_____

12ª SEMANA

1. Pesquise em jornais ou revistas notícias que falem sobre a poluição do ar no Brasil e responda:

   A) Quais são os agentes causadores da poluição?

   _____
   _____
   _____
   _____
   _____
   _____

   B) Quais sugestões você daria para combater a poluição?

   _____
   _____
   _____
   _____
   _____
   _____
   _____
   _____

3º ano – 2A EDIÇÃO

12ª SEMANA

NOME: _____

DATA: ____/____/_____

2. Depois de ter realizado sua pesquisa, responda:

   A) O que é ar poluído e como podemos constatar a poluição?

   B) Na cidade onde você mora o ar é poluído? Explique.

   C) Você acha que o cigarro polui o ar?

   D) Por que o Ministério da Saúde adverte que fumar é prejudicial à saúde? Fale sobre o assunto.

   E) Como você pode se proteger da fumaça dos cigarros?

3. Faça colagens representando o ar poluído e o ar puro.

AR POLUÍDO	AR PURO

NOME: _____

DATA: ____/____/_____

12ª SEMANA

4. Complete o texto com uma das palavras do quadro:

água	terra	vegetal	enxurradas	nutrientes	agricultura
	rios	chuva	raízes	mortos	desmatadas	húmus
	escoa	plantas	solo	Folhas	erosão	decompostos

Consequências do desmatamento

A _____ arrastada pelas _____ acumula-se no fundo dos _____, diminuindo sua profundidade e facilitando os transbordamentos.

Sem a cobertura _____, o solo fica desprotegido, sujeito à _____.

Em áreas _____, mesmo que o solo seja utilizado para a _____ e, com isso, receba novas _____, pode ocorrer a erosão, pois plantas pequenas não protegem o solo como as maiores, que possuem _____ grandes.

_____, galhos e animais _____ em uma floresta são _____, formando o _____, que contribui para que a _____ da _____ penetre o _____. Sem ele, a água _____ rapidamente, levando _____ para o leito dos rios.

13ª SEMANA

NOME: _____

DATA: ____/____/_____

ÁGUA

Só para lembrar: a camada de ar que envolve a Terra é denominada de atmosfera.

A Terra é constituída por uma parte líquida, chamada de hidrosfera.

Hidrosfera é o conjunto das águas da Terra. Ela é composta por rios, mares, oceanos, lagos, cachoeiras, geleiras e represas.

A maior parte do planeta é formada por água dos mares e oceanos, que são águas salgadas.

Na outra parte, que é bem menor, estão os continentes (as terras), onde encontramos rios, lagos, lagoas e cachoeiras.

Como se pode observar no globo, existe mais água do que terra.

Água é essencial para a sobrevivência e serve para várias coisas:

- Abastecimento das casas;
- Irrigação das lavouras;
- Na indústria;
- Na geração de energia elétrica;
- No lazer.

Na natureza, a água se apresenta de três formas diferentes:

- Líquida: a maior parte da água é encontrada em estado líquido.
- Gasosa: o vapor é a água em forma de gás. A maior quantidade de água no estado gasoso está no ar, nas nuvens.
- Sólida: encontramos a água em estado sólido no gelo, na neve, nas geleiras.

NOME: _____

DATA: ___/___/_____

13ª SEMANA

1. Escreva em que estado a água se encontra:

   A)   B)   C)

   _____   _____   _____

2. Defina:

   A) Atmosfera:
   _____
   _____

   B) Hidrosfera:
   _____

3. Faça uma lista de situações em que a água está presente no seu dia a dia.
   _____
   _____
   _____
   _____
   _____

3º ano – 2A EDIÇÃO

NOME: _____

13ª SEMANA

DATA: ____/____/_____

4. Identifique o tipo de água:

   ☐ A Água poluída

   ☐ B Água contaminada

   ☐ C Água potável

   ☐ Contém sujeiras.

   ☐ É a água boa para o consumo.

   ☐ Pode causar doenças como cólera, hepatite e disenteria.

   ☐ Não tem cheiro, cor, nem sabor.

   ☐ Contém vermes e micróbios.

5. Escreva de qual tipo de água está falando:

   A) Água de rios e lagos: _____

   B) Água de mares e oceanos: _____

   C) Água adequada ao consumo humano: _____
   _____

   D) Água com muita sujeira e com cheiro forte:
   _____

   E) Água causadora de doenças:
   _____

48 3º ano — 2A EDIÇÃO

NOME: _____

DATA: ____/____/_____

13ª SEMANA

6. Resolva o diagrama de palavras sobre os estados da água:

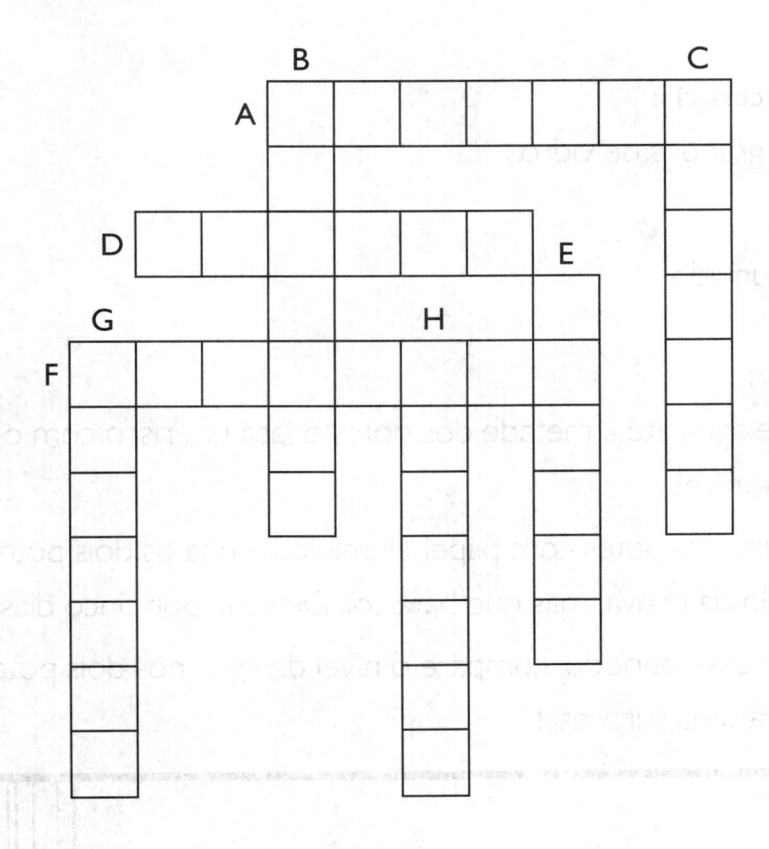

A) Água própria para o consumo.

B) Água que não pode ser utilizada.

C) A água dos mares e oceanos encontra-se em qual estado físico?

D) As geleiras se encontram em qual estado físico?

E) O vapor que sai das panelas quando estão no fogo encontra-se em qual estado.

F) Nome dado à água sem gosto.

G) Nome dado à água sem cheiro.

H) Nome dado à água sem cor.

3º ano – 2A EDIÇÃO

NOME: _____

14ª SEMANA

DATA: ___/___/_____

EXPERIÊNCIA: CADÊ A ÁGUA?

Material necessário:
- 2 potes grandes de vidro.
- Giz.
- Papel-alumínio.

Como fazer:
- Coloque água até a metade dos potes e faça um risco com o giz para marcar o nível.
- Cubra um dos potes com papel-alumínio. Ponha os dois potes em um lugar protegido da chuva, mas que bata sol. Deixe aí por cinco dias.
- No fim desse período, compare o nível de água nos dois potes de vidro, e você terá uma surpresa!

NOME: _____

DATA: ____/____/_____

14ª SEMANA

Conclusão:

1. A que conclusão você chegou? Isso é o mesmo que ocorre com poças de água na rua? Registre.

_____
_____
_____
_____
_____
_____
_____

3º ano – 2A EDIÇÃO

51

15ª SEMANA

NOME: _____

DATA: ___/___/_____

CICLO DA ÁGUA NA NATUREZA

O ciclo da água é a transformação da água na natureza, passando de um estado para outro: sólido, líquido ou gasoso.

Então, ciclo da água é a movimentação circular e infinita da água que se faz por meio dos processos de: evaporação, condensação, precipitação, infiltração e transpiração.

A água é encontrada na natureza e está distribuída nos rios, lagos, mares, oceanos e, também, em camadas subterrâneas do solo ou em geleiras.

O ciclo da água na natureza é fundamental para a manutenção da vida no planeta Terra. Essa movimentação da água é o que determina a variação climática, interfere no nível dos rios, lagos, mares e oceanos e dá condições de desenvolvimento para plantas e animais.

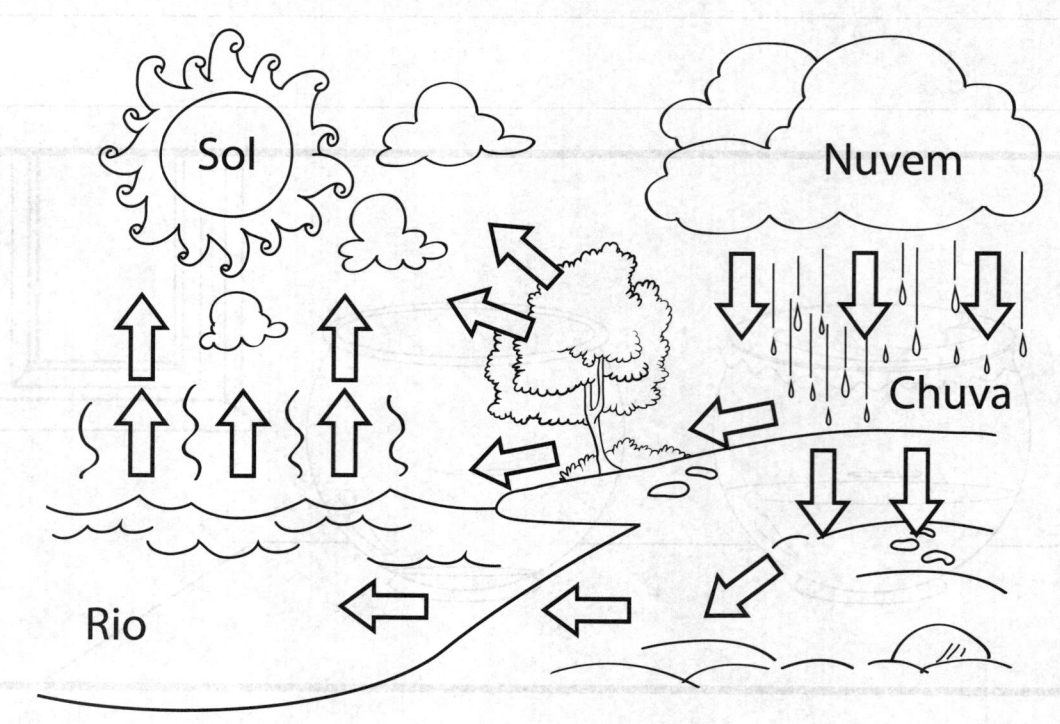

NOME: _____

DATA: ____/____/_____

15ª SEMANA

1. Leia as etapas do ciclo da água e faça desenhos representando-as:

   A) As águas vêm dos rios, mares, lagos e outros lugares.

   B) O sol aquece a água dos rios, mares e oceanos, que sobe em forma de vapor e forma as nuvens.

   C) As nuvens ficam cheias de água, que cai em forma de chuva.

   D) E tudo começa outra vez.

3º ano — 2A EDIÇÃO

15ª SEMANA

NOME: _____

DATA: ___/___/_____

2. Observe o desenho, registre as palavras abaixo no lugar certo e faça uma breve explicação do processo:

| chuva | vapor de água | calor do sol |

NOME: _____

DATA: ____/____/_____

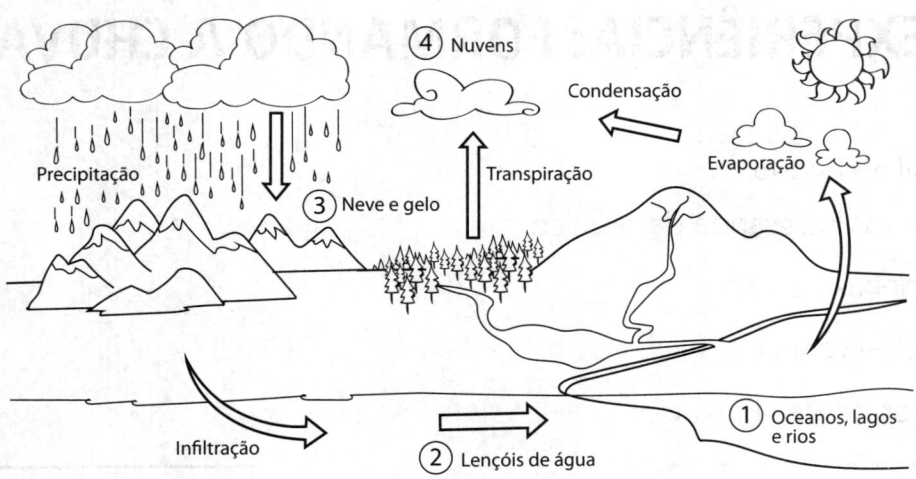

15ª SEMANA

3. Complete o texto com as palavras que estão no quadro.

| natureza | estado | água | Sol |
| vapor | condensa | gotinhas | ar | chuva |

Ciclo da água

Na _____ a _____ muda constantemente seu _____ físico.

A água existente na crosta terrestre é aquecida pelo _____ e se transforma em _____.

Esse vapor passa para a atmosfera e se _____, formando as nuvens. Quando o peso da água não lhe permite mais ficar suspensa, gotas de água se formam e caem de volta para a superfície da Terra em forma de _____.

O granizo, ou chuva de pedra, ocorre quando as _____ entram em contato com _____ muito frio.

3º ano – 2A EDIÇÃO

55

NOME: _____

DATA: ____/____/_____

16ª SEMANA

EXPERIÊNCIA: FORMANDO A CHUVA

Material necessário:
- Uma vasilha grande de plástico.
- Pedrinhas de gelo.
- Água fervendo.
- Um prato de alumínio.

Modo de fazer:
- A água fervendo deve ser colocada na bacia, com a ajuda do professor.
- Em seguida, segure o prato com as pedras de gelo acima da bacia com água quente.

NOME: _____

DATA: ____/____/_____

16ª SEMANA

1. Conclusão:

   A) O que ocorre com o vapor que sai da água fervendo?
   B) Como ficou o fundo do prato?
   C) Explique com suas palavras como se forma a chuva.

   _____
   _____
   _____
   _____
   _____
   _____
   _____
   _____
   _____
   _____
   _____
   _____

NOME: _____

DATA: ___/___/_____

17ª SEMANA

POLUIÇÃO DAS ÁGUAS

Água poluída é a água que está com suas características naturais alteradas por agentes externos. A poluição pode ser de origem:

- **Química:** a água fica suja devido a substâncias tóxicas e nocivas, jogadas nela, como detergentes e soda cáustica lançados por fábricas.
- **Biológica:** a água é infectada por bactérias, vírus e vermes que causam doenças como hepatite, cólera, tifo, verminoses e outras. Tem mau cheiro e é imprópria para uso.

Para evitar a poluição da água, algumas medidas são necessárias:

- Não lançar substâncias tóxicas em rios, lagos, lagoas etc.
- Colaborar com a preservação dos mananciais de água e não jogar lixo em locais impróprios.
- Evitar o uso exagerado de agrotóxicos e inseticidas que possam contaminar as águas.
- Criar serviços de saneamento básico, rede de esgoto, coleta de lixo.

Todos nós temos a responsabilidade ajudar no combate à poluição. É só cada um fazer a sua parte.

Nas cidades, existem lugares para tratar e limpar a água, que são as estações de tratamento. Lá, com o auxílio de bombas e algumas substâncias, a água é drenada para vários tanques chamados reservatórios, onde são colocadas várias substâncias para retirar a sujeira. A água, então, é tratada e filtrada. Finalmente, coloca-se cloro para eliminar os micróbios. Depois de purificada, a água é distribuída para as casas.

A água que pode ser bebida e usada no preparo dos alimentos é chamada de água potável.

A água, para ser ingerida, deve ser:

- Insípida: sem gosto.
- Incolor: sem cor.
- Inodora: sem cheiro.

Se a água não for mineral, deve ser fervida ou filtrada antes do consumo.

NOME: _____

DATA: ____/____/_____

17ª SEMANA

1. Identifique os causadores da poluição das águas:

   A) Lançamento de substâncias tóxicas em rios, lagos e lagoas.
   _____

   B) Falta de rede de esgoto e saneamento básico.
   _____

   C) Lixo em locais impróprios.
   _____

   D) Uso de agrotóxicos e inseticidas que contaminam as águas.
   _____

2. Observe os desenhos e registre os principais agentes que poluem as águas:

   A) _____

   B) _____

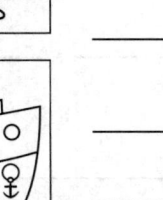

   C) _____

3º ano – 2A EDIÇÃO

17ª SEMANA

NOME: _____

DATA: ____/____/_____

D)

E)

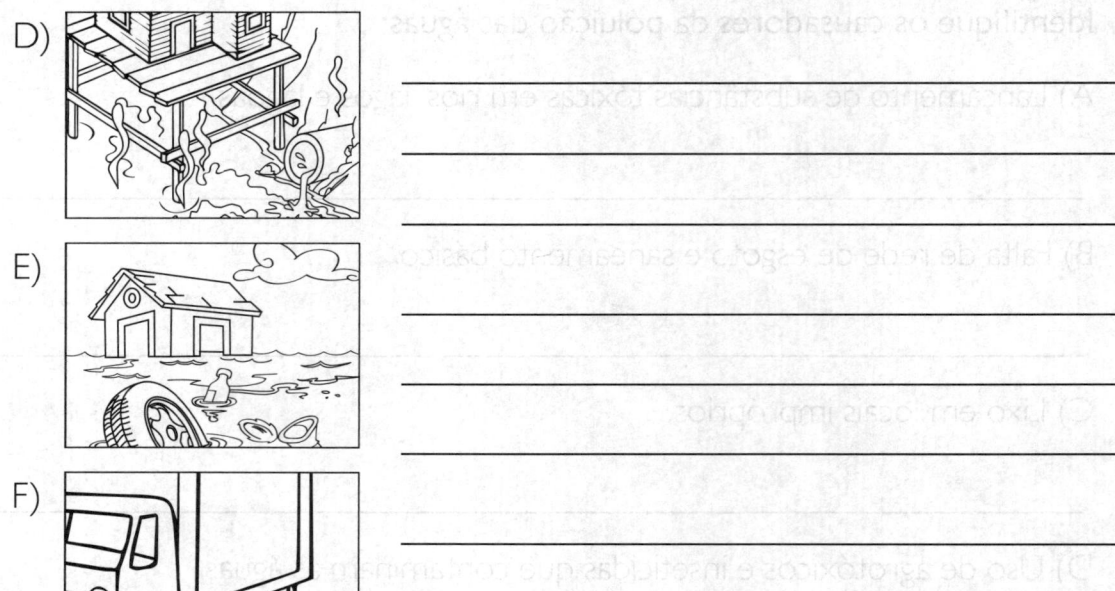

F)

3. Em relação às características da água, explique o que significa:

A) Insípida.
_____

B) Incolor.
_____

C) Inodora.
_____

4. Pesquise e responda:

A) De onde vem a água da sua casa?
_____

B) O que é hidrômetro?
_____

NOME: _____

DATA: ____/____/_____

17ª SEMANA

C) A água que vem da rua fica armazenada onde?
_____

D) O que é água potável?
_____

E) Como você acha que vivem as pessoas que não possuem abastecimento de água?
_____
_____

F) Na sua cidade, qual é o órgão responsável pelo controle da poluição da água?
_____

G) Pesquise se existe algum problema de poluição da água na sua região e escreva o que você descobriu.
_____
_____

H) Escreva o nome de algumas substâncias utilizadas no tratamento da água.
_____

I) Para que servem os reservatórios nas estações de tratamento de água?
_____

J) Escreva o nome de algumas doenças causadas pela água contaminada.
_____

3º ano – 2A EDIÇÃO

18ª SEMANA

NOME: _____

DATA: _____/_____/_____

O SOLO

O solo faz parte da natureza. A parte mais externa do solo é conhecida como litosfera.

Ele é formado por pedaços de rochas e restos de vegetais e animais mortos.

Retiramos do solo grande parte dos alimentos.

O solo deve ser bem cuidado para manter a vida animal e vegetal.

Após a colheita, o solo deve ser revitalizado para que o novo plantio possa crescer saudável.

Os fatores climáticos agridem a terra, causando a erosão.

Existem também outras ações que danificam o solo e diminuem a possibilidade de seu uso para o plantio. São as queimadas e o desmatamento.

O subsolo é a camada que fica abaixo do solo e é formado por rochas, minerais e água. Ele é pobre em nutrientes para o cultivo de plantas.

O subsolo é explorado para a retirada de riquezas minerais como ferro, cálcio, alumínio, pedras preciosas e semipreciosas.

O minério de ferro, quando encontrado, é beneficiado para ser utilizado em produtos, peças, máquinas e equipamentos.

Os minérios também podem ser encontrados na forma líquida, como o petróleo e a água mineral.

Mina é todo lugar onde são extraídas riquezas do subsolo.

Poços artesianos são perfurações para retirada de água do subsolo.

O solo pode ser:

- Humífero – com muito húmus. Rico em restos de animais e vegetais em decomposição. Absorve bem a água e a deixa acumulada. Conhecido como terra preta.
- Arenoso – é um solo permeável, não acumula muita água. Forma terrenos secos.
- Argiloso – terreno úmido por reter muita água. Quando seco, pode rachar e quando chove muito, fica encharcado.

NOME: _____

DATA: ___/___/_____

18ª SEMANA

1. Complete as frases de maneira que fiquem corretas.

    A) O _____ é a parte da crosta terrestre onde nascem e se _____ as plantas, onde vivem as _____ e os _____.

    > animais   pessoas   desenvolvem   solo

    B) O _____ é formado por restos de _____ e _____ mortos.

    > vegetais   animais   solo

    C) O _____ é a camada que fica abaixo do solo e é formada por _____, _____ e _____.

    > água   rochas   subsolo   minerais

    D) Quando fazemos _____ e _____, o solo fica _____, diminuindo sua utilidade para o _____.

    > plantio   desmatamento   danificado   queimadas

2. Explique com suas palavras:

A) Desmatamento.

_____

B) Reflorestamento.

_____

C) Erosão.

_____

3º ano — 2A EDIÇÃO

NOME: _____

DATA: ___/___/_____

18ª SEMANA

3. Marque (V) para alternativas verdadeiras e (F) para as falsas.

☐ O solo também é chamado de terra ou chão.

☐ O solo é formado de pequeninos pedaços de rochas e restos de plantas e animais.

☐ Na superfície terrestre podemos encontrar apenas um tipo de solo.

☐ Na superfície terrestre podemos encontrar diversos tipos de solo.

4. Numere a segunda coluna de acordo com a primeira.

(1) Solo argiloso
(2) Solo arenoso
(3) Solo humoso
(4) Solo calcário

( ) Possui consistência granulosa como a areia.

( ) Muito usado na agricultura por ser extremamente fértil.

( ) Fornece a cal e o cimento utilizados nas construções.

( ) Dele é retirado o barro utilizado na fabricação de tijolos, telhas e objetos de cerâmica.

5. Responda:

A) O que devemos fazer quando um solo não é fértil para plantações?

_____

B) Como o solo fica após queimada e desmatamento?

_____

64   3º ano — 2A EDIÇÃO

NOME: _____

DATA: ___/___/_____

19ª SEMANA

AINDA SOBRE SOLO

1. Complete as frases e, em seguida, preencha o diagrama de palavras:

   A) Devemos _____ o solo para torná-lo produtivo.

   B) Devemos _____ o solo encharcado.

   C) Devemos _____ o solo seco.

   D) O solo _____ é úmido porque retém muita água.

   E) O solo _____ é adequado para plantações.

   F) O solo _____ é formado por 70% de areia.

3º ano — 2ª EDIÇÃO

19ª SEMANA

NOME: _____

DATA: ____/____/_____

2. Observe a cena, identifique a que se refere e explique:

> Antigamente, esse era um lugar lindo, cheio de árvores!

> Árvores? O que são árvores, vovô?

_____
_____
_____
_____
_____
_____
_____

NOME: _____

DATA: ___/___/_____

19ª SEMANA

3. Observe as imagens e escreva como podemos contribuir para saúde do solo:

_____
_____
_____
_____
_____
_____
_____
_____
_____
_____
_____
_____
_____
_____
_____
_____
_____
_____

3º ano — 2A EDIÇÃO

19ª SEMANA

NOME: _____

DATA: ___/___/_____

4. Observe a figura e responda:

A) Que nome recebe o desgaste do solo provocado pela ação do vento e da chuva?

☐ Ebulição

☐ Erosão

☐ Erupção

B) Quais solos estão mais protegidos contra esse tipo de desgaste?

☐ Os solos cobertos por vegetação.

☐ Os solos desmatados.

3º ANO — 2A EDIÇÃO

NOME: _____

DATA: ____/____/_____

20ª SEMANA

EXPERIÊNCIA: TIPOS DE SOLO

Materiais necessários:

- Dois funis.
- Duas garrafas.
- Areia.
- Argila.
- Água.

Como fazer:

- Coloque os funis nos gargalos das garrafas.
- Dentro de cada funil, coloque chumaço de algodão.
- Ponha uma quantidade de areia dentro de um funil; no outro, ponha igual quantidade de argila.
- Despeje a mesma quantidade de água em cada funil.

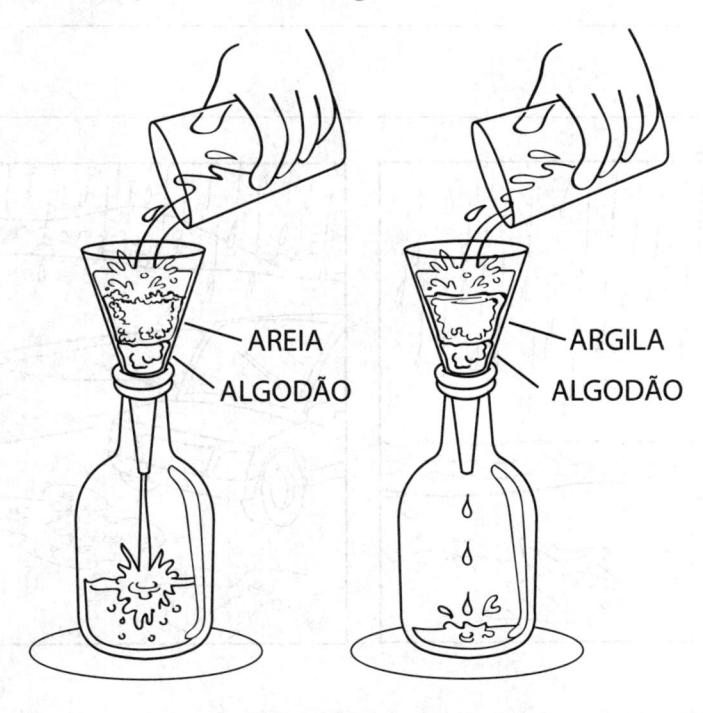

AREIA
ALGODÃO

ARGILA
ALGODÃO

3º ano — 2A EDIÇÃO

20ª SEMANA

NOME: _____

DATA: ____/____/_____

Conclusão:

_____
_____
_____
_____
_____
_____
_____
_____
_____

AS PLANTAS

As plantas são seres vivos e, portanto, nascem, crescem, reproduzem, envelhecem e morrem.

As plantas necessitam de ar, água, luz, terra fofa e fértil e espaço suficiente para se desenvolverem na terra.

As plantas terrestres são aquelas que vivem na terra e retiram do solo e do ar certas substâncias das quais precisam para viver.

As plantas aquáticas retiram seus nutrientes dos rios, lagos e mares. Os que vivem apenas na superfície da água também retiram do ar as substâncias que necessitam.

As plantas aéreas são plantas que vivem em locais altos, como em árvores. Algumas plantas aéreas retiram substâncias dos vegetais que as apoiam. Utilizam o ar para produzir seu próprio alimento.

A maioria das plantas é muito útil para o homem. É utilizada na alimentação, no vestuário e na indústria.

21ª SEMANA

NOME: _____

DATA: ___/___/_____

1. Complete a paisagem com animais e depois escreva por que as plantas são importantes?

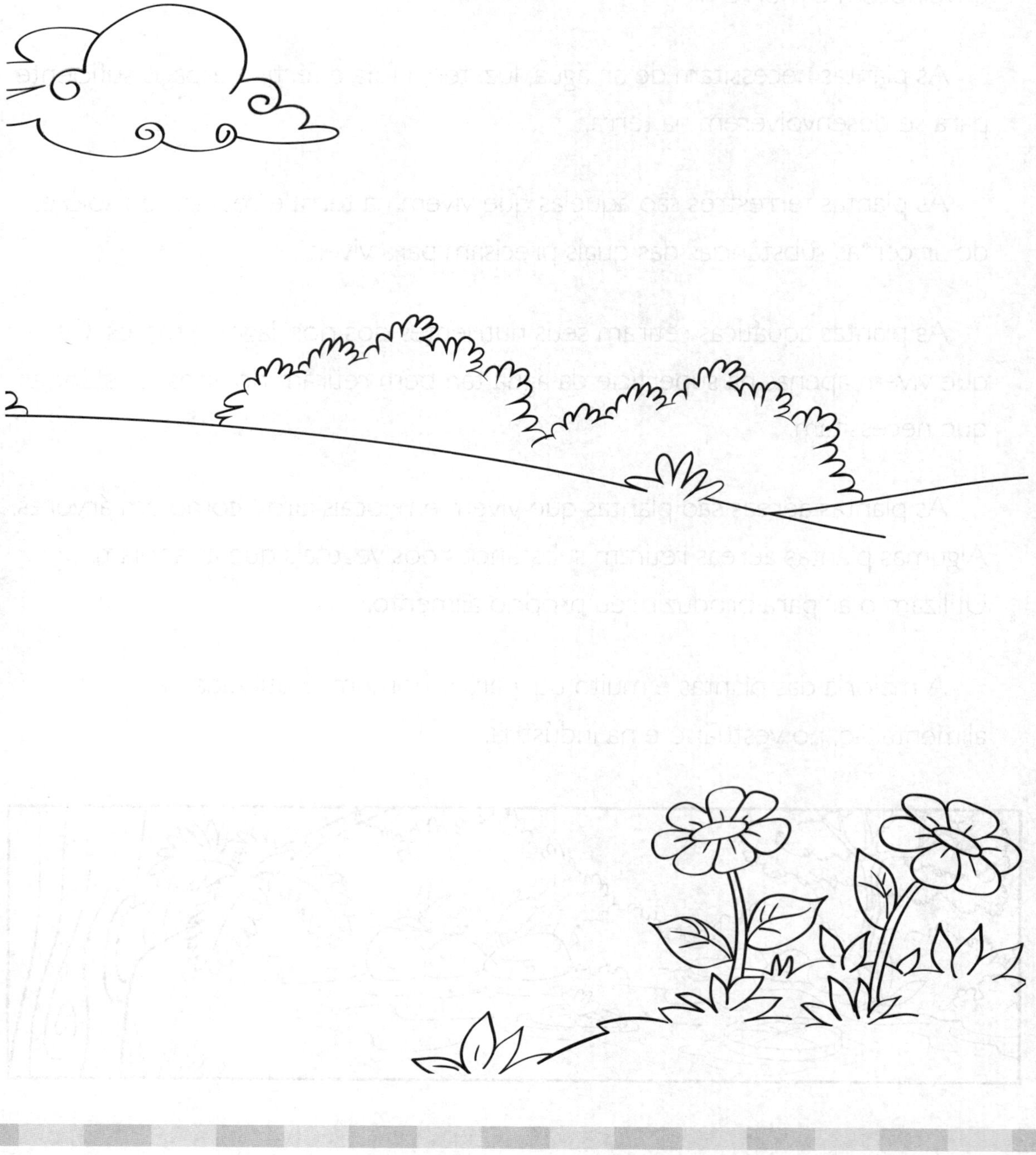

NOME: _____

DATA: ____/____/_____

21ª SEMANA

2. Observe os desenhos e classifique as plantas:

   [_____]   [_____]   [_____]

3. Responda:

   A) Por que as plantas são seres vivos?
   _____

   B) O que uma planta necessita para viver?
   _____

   C) De onde os vegetais que vivem na terra retiram as substâncias necessárias para viver?
   _____

   D) E os vegetais que vivem na superfície da água, de onde retiram as substâncias necessárias para viver?
   _____

   E) Quais são as frutas que você costuma comer?
   _____

   F) Quais são as plantas mais usadas na alimentação de sua família?
   _____

3º ano – 2A EDIÇÃO

21ª SEMANA

NOME: _____

DATA: ____/____/_____

4. Escreva o nome dos vegetais que servem como alimentos:

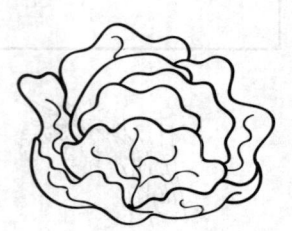

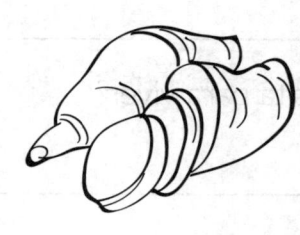

_____   _____   _____

_____   _____   _____

5. Se você fosse uma planta, qual recado você daria para o homem?

_____
_____
_____
_____
_____
_____

3º ano — 2A EDIÇÃO

PARTES DAS PLANTAS

Um vegetal completo desenvolve raiz, caule, folhas, flores e frutos.

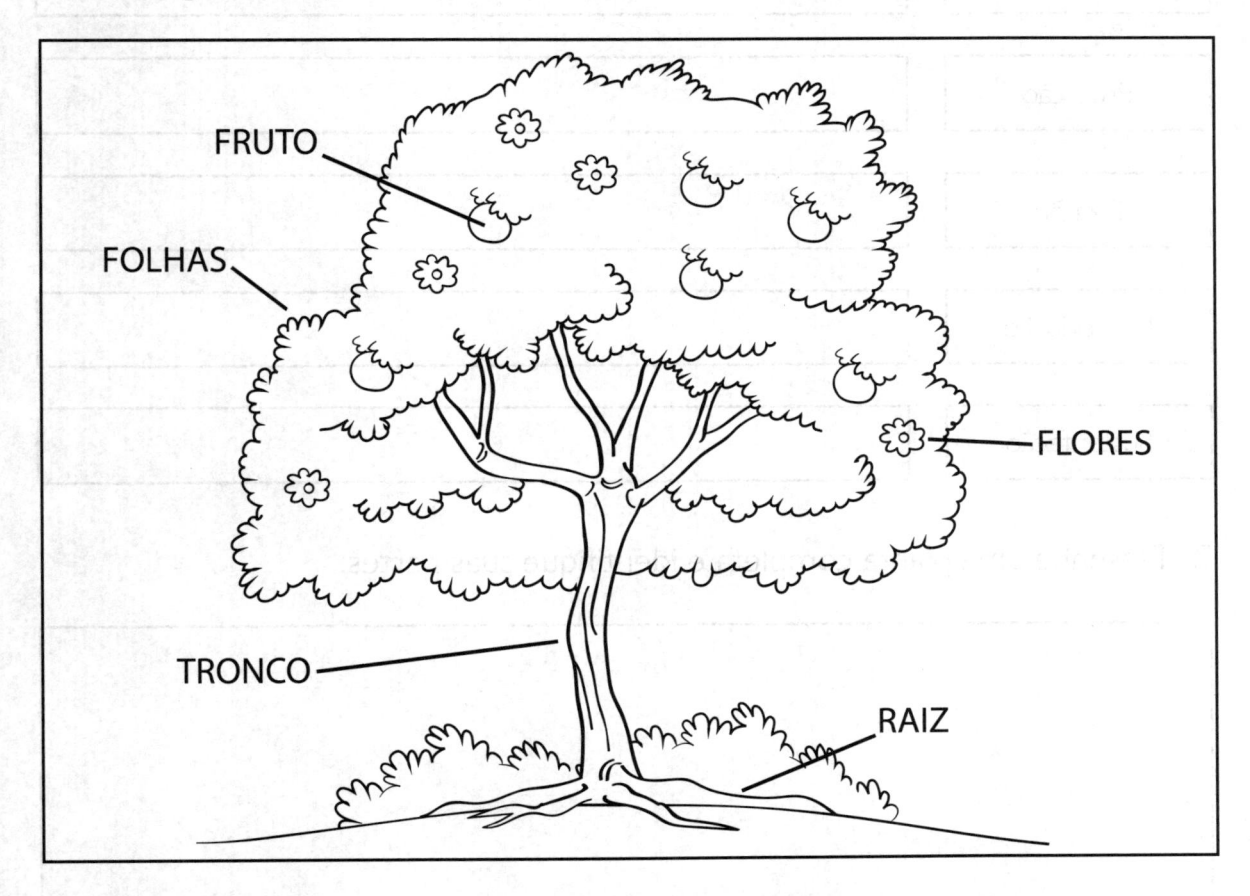

- **Raiz**: fixa a planta na terra, de onde retira água e sais minerais para o seu crescimento.
- **Caule**: sustenta as folhas, flores e frutos e transporta a água e os sais minerais para a planta.
- **Folhas**: é a parte responsável pela respiração.
- **Flor**: órgão reprodutor da planta.
- **Fruto**: guarda as sementes, que dão origem a outras plantas.

21ª SEMANA

NOME: _____

DATA: ____/____/_____

1. Escreva qual parte da planta é responsável pelas funções a seguir:

Respiração	
Proteção	
Fixação	
Reprodução	
Sustentação	

2. Desenhe uma planta completa e identifique suas partes:

NOME: _____

DATA: ____/____/_____

21ª SEMANA

3. Escreva o nome de cada parte da planta e sua função:

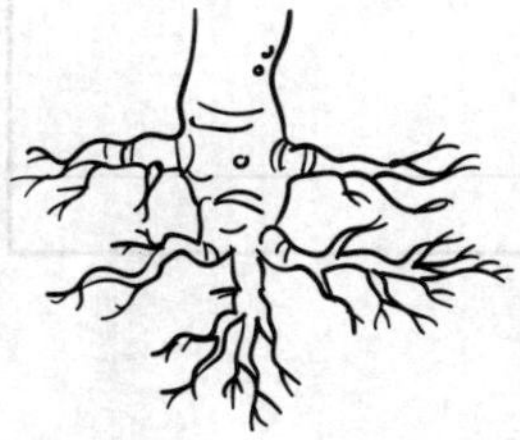

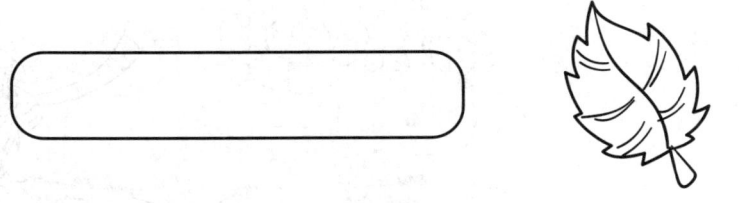

21ª SEMANA

NOME: _____

DATA: ____/____/_____

4. Escreva o nome de um alimento que seja:

Raiz	Caule	Folhas
_____	_____	_____
Flores	Fruto	Sementes
_____	_____	_____

5. Observe as imagens e escreva o que aconteceu:

_____
_____
_____

3º ano — 2A EDIÇÃO

NOME: _____

DATA: ___/___/_____

22ª SEMANA

OS ANIMAIS

Os animais são seres vivos, que nascem, crescem, podem se reproduzir, envelhecem e morrem. Cada animal vive em seu ambiente natural, que pode ser na terra, na água ou no ar.

Existem animais vertebrados ou invertebrados.

Os vertebrados são aqueles que possuem coluna vertebral e um esqueleto interno formado por ossos ou cartilagens. Eles têm características diferentes e se classificam em cinco grupos:

- **Peixes**: em sua maioria, nascem de ovos. Em geral, têm o corpo coberto de escamas e movimentam-se com o auxílio de nadadeiras. Eles podem viver em água doce ou salgada.
- **Anfíbios**: são animais vertebrados que nascem de ovos e se desenvolvem fora do corpo da mãe. Quando filhotes, vivem na água e respiram o oxigênio nela contido. Quando adultos, podem viver na terra e na água, mas precisam do ar da atmosfera, pois respiram pelos pulmões. Têm pele lisa, fria e escorregadia. Exemplos: sapo, rã, perereca, salamandra e cobra-cega.
- **Répteis**: têm o corpo coberto de escamas, placas ou carapaças. Locomovem-se arrastando parte do corpo e nascem de ovos. Exemplos: lagartos, jabutis, jacarés, tartarugas e cobras.
- **Aves**: possuem o corpo coberto de penas, têm bico e a maioria voa. São animais bípedes, possuem somente duas patas. Nascem de ovos.
- **Mamíferos**: são animais vertebrados que são gerados na barriga da mãe. Mamam quando pequenos, têm o corpo coberto de pelos e respiram por pulmões. Exemplos: homem, cão, gato, rato, leão, cavalo e outros.

> **Curiosidades**
> O morcego é o único mamífero que voa.
> A baleia, o golfinho, o peixe-boi e as focas são mamíferos aquáticos.

3º ano – 2A EDIÇÃO

22ª SEMANA

NOME: _____

DATA: ____/____/_____

1. Responda:

   A) O que são animais vertebrados?

   _____

   B) O que são animais invertebrados?

   _____

   C) Os animais são seres vivos. Justifique.

   _____

   D) Você é um animal mamífero? Por quê?

   _____

2. Recorte de revistas animais com as características abaixo e cole-os no quadro.

Duas patas	Quatro patas

Nenhuma pata	Que voam

NOME: _____

DATA: ____/____/_____

22ª SEMANA

3. Escreva em que situações os animais podem ser úteis ao homem:

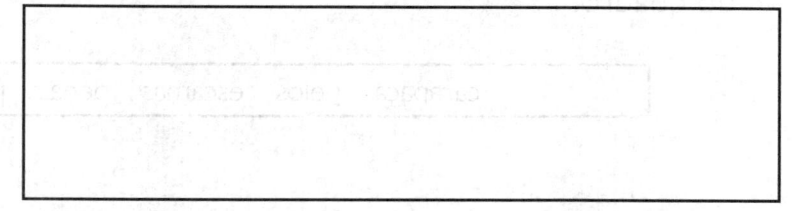

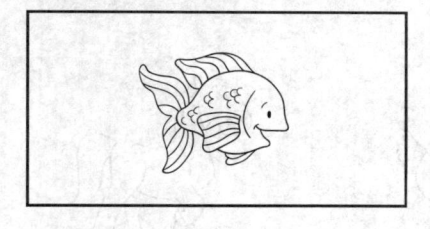

3º ano — 2A EDIÇÃO

81

4. Escreva o tipo de cobertura do corpo de cada animal, usando as palavras do quadro:

> carapaça   pelos   escamas   penas   pele lisa

NOME: _____

DATA: ____/____/_____

23ª SEMANA

OS GRUPOS DE ANIMAIS

Os animais têm características diferentes e se classificam em cinco grupos: peixes, répteis, anfíbios, aves e mamíferos.

1. Observe o quadro de animais e responda:

A) Quais dos animais acima são mamíferos?

_____

B) Quais dos animais acima são répteis?

_____

C) Quais dos animais acima são aves?

_____

3º ano – 2A EDIÇÃO

23ª SEMANA

NOME: _____

DATA: ____/____/_____

D) Quais dos animais acima são peixes?
_____

E) Quais dos animais acima são anfíbios?
_____

2. Observe o quadro:

A) Todos os animais acima são mamíferos, exceto um. Qual?
_____

B) Ele faz parte de qual grupo, então?
_____

3. Observe a cena:

A) A qual grupo pertencem os animais da cena?
_____

NOME: _____

DATA: ____/____/_____

23ª SEMANA

4. Escreva a qual grupo se referem as características:

   A) Possuem asas, podem voar, têm bico, nascem de ovos.

   _____

   B) Pele lisa, vivem tanto na água quanto na terra, nascem de ovos.

   _____

   C) São gerados na barriga da mãe, têm pelos.

   _____

   D) Rastejam, nascem de ovos.

   _____

   E) Nadam muito, nascem de ovos, respiram por brânquias.

   _____

5. Observe os animais e classifique-os conforme a legenda:

| A anfíbios | B mamíferos | C aves | D répteis | E peixes |

3º ano – 2A EDIÇÃO

NOME: _____

DATA: ___/___/_____

24ª SEMANA

ÁLBUM DOS ANIMAIS

1. Cole a gravura de um animal de cada grupo e responda as perguntas.

Mamíferos

Nome:

De que se alimenta:

Seu hábitat:

Tipo de cobertura:

Sua utilidade:

Uma característica:

3º ANO — 2A EDIÇÃO

NOME: _____

DATA: ____/____/_____

24ª SEMANA

Peixes

Nome:

De que se alimenta:

Seu hábitat:

Tipo de cobertura:

Sua utilidade:

Uma característica:

3º ano – 2A EDIÇÃO

87

24ª SEMANA

NOME: _____

DATA: ____/____/_____

Anfíbios

Nome:
De que se alimenta:
Seu hábitat:
Tipo de cobertura:
Sua utilidade:
Uma característica:

3º ano – 2A EDIÇÃO

NOME: _____

DATA: ____/____/_____

24ª SEMANA

Aves

Nome:

De que se alimenta:

Seu hábitat:

Tipo de cobertura:

Sua utilidade:

Uma característica:

3º ano – 2A EDIÇÃO

24ª SEMANA

NOME: _____

DATA: ____/____/_____

Répteis

Nome:

De que se alimenta:

Seu hábitat:

Tipo de cobertura:

Sua utilidade:

Uma característica:

NOME: _____

DATA: ___/___/_____

25ª SEMANA

DENGUE, ZIKA E CHIKUNGUNYA

O mosquito **Aedes aegypti** transmite a dengue, a zika e a chikungunya e é muito parecido com um pernilongo comum. Porém, é mais escuro e possui listras brancas pelo corpo e nas patas. Prefere atacar as pessoas durante o dia. Mora e se reproduz em lugares com água parada.

A batalha hoje é combater o mosquito conhecido como mosquito da dengue. O número de pessoas que contraíram a doença cresceu muito nos últimos anos, e a população tem de cooperar para acabar com os criadouros do mosquito.

Veja algumas dicas:

- Verifique sempre se não há locais com água parada, como em garrafas vazias e pneus velhos.
- Mantenha os reservatórios de água sempre com tampa.
- Troque a água por areia nos vasos de plantas.

Onde houver foco desse inseto, é preciso comunicar à saúde pública, imediatamente.

Em caso de suspeita de dengue, procure um médico.

3º ano — 2A EDIÇÃO

NOME: _____

DATA: ____/____/_____

25ª SEMANA

1. Observe as imagens e escreva os sintomas da dengue:

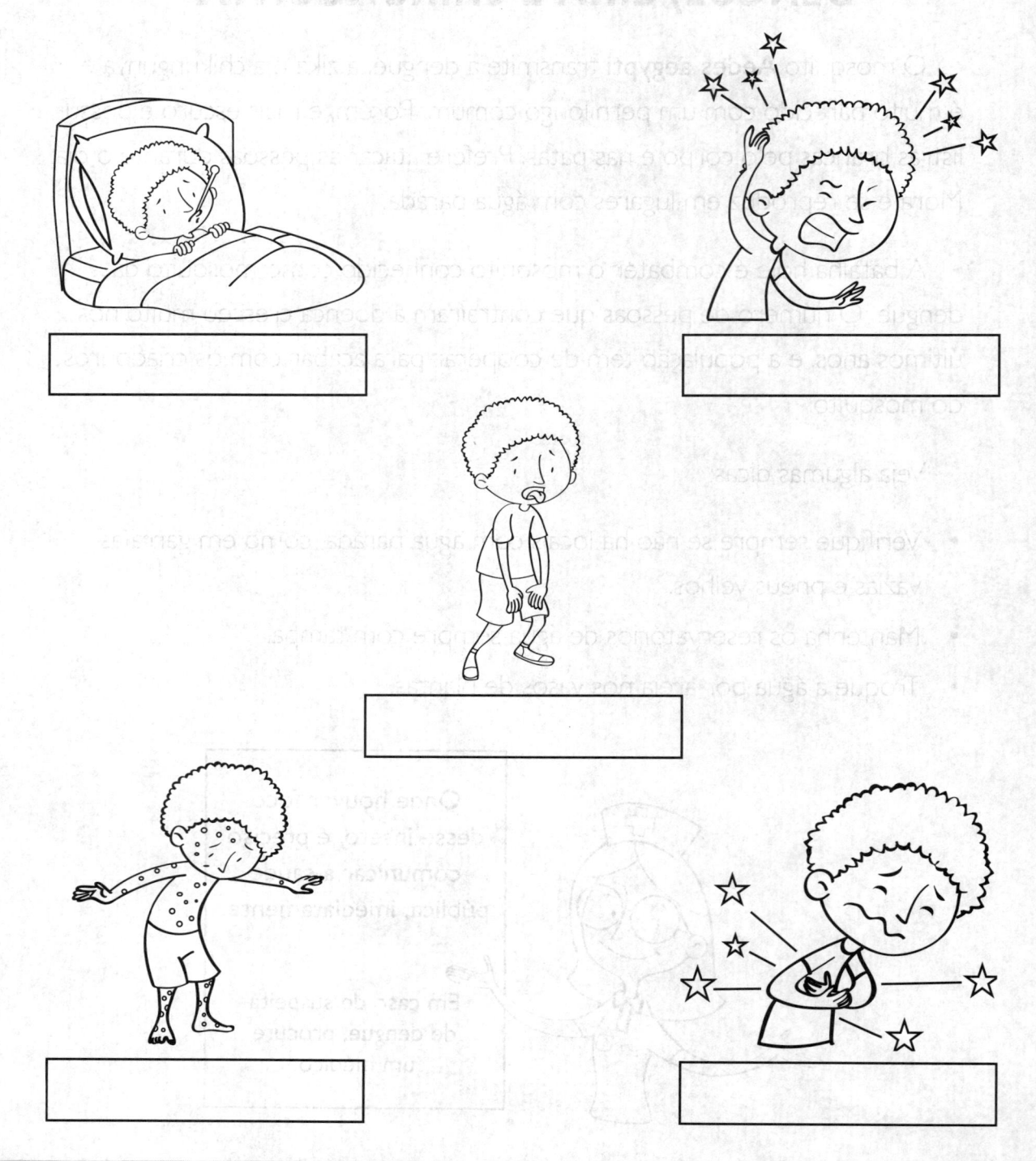

NOME: _____

DATA: _____/_____/_____

25ª SEMANA

2. Responda conforme os estudos sobre dengue:

A) A dengue é causada por um vírus e é transmitida de pessoa para pessoa.
◯ Sim   ◯ Não

B) O nome do mosquito da zika é **Aedes aegypti**, que também transmite a dengue e a chikungunya.
◯ Sim   ◯ Não

C) A fêmea do mosquito deposita os ovos em recipientes com água parada.
◯ Sim   ◯ Não

D) O mosquito **Aedes aegypti** é idêntico ao pernilongo comum.
◯ Sim   ◯ Não

E) Se descobrir que está com dengue, zika ou chikungunya, você pode tomar qualquer medicamento.
◯ Sim   ◯ Não

F) Dengue, zika ou chikungunya podem levar à morte:
◯ Sim   ◯ Não

25ª SEMANA

NOME: _____

DATA: ___/___/_____

3. Complete as frases e, depois, o diagrama de palavras:

A) Para evitar a dengue, o _____ de nossa casa precisa ficar bem fechado.

B) A _____ é transmitida pela picada do mosquito **Aedes aegypti**.

C) Mantenha sempre os pratos das _____ com terra para não acumular água.

D) Ficar atentos com o armazenamento de _____ usados.

NOME: _____

DATA: ____/____/_____

25ª SEMANA

4. Observe a cena e escreva os lugares onde o mosquito da dengue pode colocar seus ovos.

_____
_____
_____

3º ano – 2A EDIÇÃO

95

26ª SEMANA

NOME: _____

DATA: ____/____/_____

FEBRE AMARELA

A febre amarela é uma doença infecciosa grave que também é transmitida por mosquito, que pode ser o **Haemagogus**, o **Sabethes** e, agora, o **Aedes aegypti**, que foi recentemente descoberto como transmissor.

Os sintomas iniciais são febre alta, dores de cabeça, no corpo e articulações, fadiga intensa, calafrios, náuseas e vômitos, que podem permanecer por aproximadamente três dias. No entanto, mesmo depois de dois dias sem sintomas, a doença pode evoluir para a sua forma mais grave e surgirem problemas como mal funcionamento dos rins e do fígado, pele e olhos amarelos (icterícia) e hemorragias.

Ao aparecerem os sintomas, é necessário procurar um médico, e, assim como a dengue, não se deve usar ácido acetilsalicílico, conhecido como AAS.

A vacina é a melhor forma de prevenção. Por isso, mantenha a sua vacinação em dia.

Lembre-se de que a destruição dos criadouros desse mosquito é muito importante para evitar a doença.

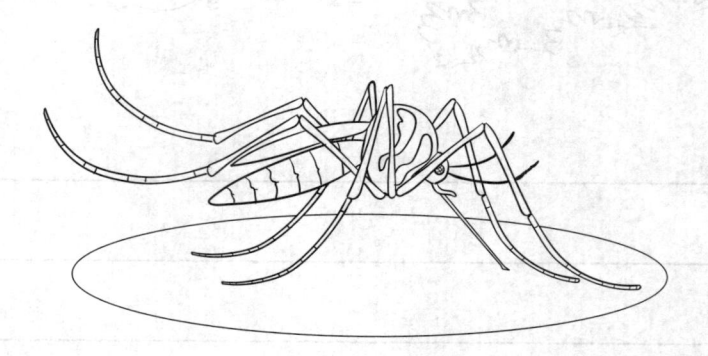

NOME: _____

DATA: ___/___/_____

26ª SEMANA

1. Quando os sintomas aparecerem, o que se deve fazer?

   _____

2. Se a pessoa teve o diagnóstico de febre amarela comprovado, qual medicamento não é recomendado usar?

   ○ Ácido sulfúrico. ○ Ácido fólico.
   ○ Ácido acetilsalicílico – AAS ○ ácido úrico.

3. Qual o assunto principal do texto que vocês leram?

   ○ Falar sobre a vida de um mosquito.
   ○ Comparar doenças.
   ○ Economizar água.
   ○ Falar sobre o mosquito transmissor da febre amarela.

4. Todas as doenças abaixo são causadas pelo mosquito **Aedes aegypti**, exceto:

   ○ Catapora. ○ Febre amarela. ○ Zika.
   ○ Chikungunya. ○ Dengue.

5. Você já teve dengue? O que sentiu?

   _____
   _____
   _____
   _____

3º ano – 2A EDIÇÃO

26ª SEMANA

NOME: _____

DATA: ____/____/_____

6. Pesquise e responda:

FEBRE AMARELA

O QUE É?
_____
_____
_____
_____

TRANSMISSÃO

_____
_____
_____
_____

SINTOMAS

_____
_____
_____
_____

OUTRAS DOENÇAS CAUSADAS
PELO MOSQUITO

_____
_____
_____
_____
_____

NOME: _____

DATA: ___/___/_____

27ª SEMANA

ALIMENTAÇÃO DOS ANIMAIS

Os animais podem ser classificados em:

- **Herbívoros**: que só se alimentam de vegetais.
- **Carnívoros**: que só se alimentam da carne de outros animais.
- **Onívoros**: que se alimentam tanto de vegetais como da carne de outros animais.

Muitos animais são importantes para o homem, pois fornecem alimentos, transporte, ajudam no trabalho, entre outros benefícios.

O produto animal pode ser transformado em um subproduto. E isso pode ocorrer na:

- Indústria de laticínios;
- Indústria têxtil;
- Indústria de calçados;
- Indústria farmacêutica;
- Indústria alimentícia.

3º ano – 2A EDIÇÃO

27ª SEMANA

NOME: _____

DATA: ____/____/_____

1. Defina e ilustre com desenho ou colagem:

   A) Animais carnívoros.

   B) Animais herbívoros.

   C) Animais onívoros.

NOME: _____

DATA: ___/___/_____

27ª SEMANA

2. Complete o diagrama de palavras:

A) É um réptil selvagem, carnívoro e seu tamanho pode variar muito.

B) É um animal mamífero, muito amigo do homem. Ele é carnívoro.

C) É conhecido como o rei da selva. É carnívoro e selvagem.

E) Serve como transporte. É um animal herbívoro e muito dócil.

F) É uma ave onívora. Conhecida por mau agouro.

27ª SEMANA

NOME: _____

DATA: ____/____/_____

3. Observe o trecho da música e faça o que se pede:

"Na banda da fazenda do seu Batista, tem uma vaca trompetista, um galo saxofonista e uma galinha vocalista. No celeiro de talentos, a plateia sempre agita, como é bom conviver com animais artistas."

Eduardo Starke

A) Classifique a alimentação dos animais acima:

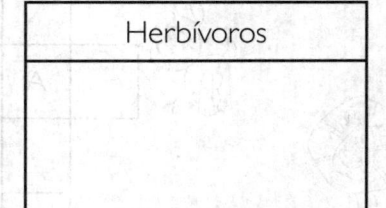

Ovíparos	Herbívoros	Carnívoros

4. Classifique os animais escritos abaixo em herbívoros, carnívoros ou onívoros:

Elefante → _____

Leão → _____

Urso → _____

Girafa → _____

Capivara → _____

NOME: _____

DATA: ___/___/_____

28ª SEMANA

OS ANIMAIS E AS INDÚSTRIAS

1. Pesquise uma fábrica ou indústria de produto animal e registre.

   Nome da indústria:

   O que fabrica:

   Matéria-prima utilizada:

3º ano — 2A EDIÇÃO

28ª SEMANA

NOME: _____

DATA: ____/____/_____

2. Escreva em que são transformados os produtos:

   A) Do porco:

   • A carne: _____

   • A gordura: _____

   B) Da abelha

   • A cera: _____

   • O mel: _____

   C) Da vaca:

   • Leite: _____

3. Responda:

   A) Que parte do tubarão é aproveitada e transformada em remédio?

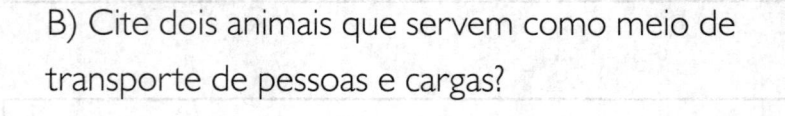

   _____

   B) Cite dois animais que servem como meio de transporte de pessoas e cargas?

   _____

   C) Além do boi, que outros animais fornecem produtos para o vestuário?

   _____

NOME: _____

DATA: ___/___/_____

29ª SEMANA

ECOSSISTEMAS

A parte da Terra onde há vida se chama biosfera.

Ela é composta de todos os seres vivos existentes na Terra.

Ecologia é a ciência que estuda as relações dos seres vivos com os elementos não vivos, como a água, o ar e o solo, e com alguns processos físicos, como umidade, temperatura e pressão.

Existe uma relação dos seres vivos que compõem a biosfera com os elementos das outras esferas da Terra.

Ecossistema é o espaço físico onde encontramos as relações entre as diferentes espécies de seres vivos com todos os elementos do meio habitado por eles. Podemos dizer que os ecossistemas são compostos de seres vivos e elementos não vivos.

Exemplos de ecossistemas são: oceanos, lagos e lagoas, as florestas e os rios.

Os vegetais e as algas são seres vivos capazes de produzir o seu próprio alimento. Eles retiram do meio da natureza os elementos que não têm vida e, a partir deles, produzem nutrientes de que precisam para sobreviver. Eles são os produtores.

Há os que se alimentam de outros seres: são os consumidores.

E os que se alimentam de organismos mortos e os transformam em substâncias minerais que serão utilizadas pelos vegetais na produção de seu alimento, são os decompositores.

A cadeia alimentar é a relação entre os seres vivos que se alimentam uns dos outros.

Teia alimentar é o cruzamento das várias cadeias alimentares existentes no ecossistema.

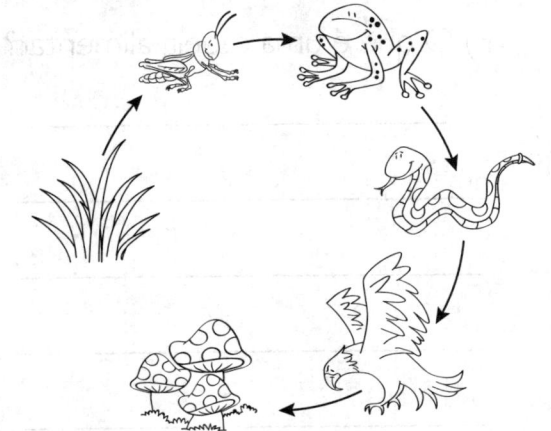

29ª SEMANA

NOME: _____

DATA: ____/____/_____

1. Responda as perguntas sobre decompositores, produtores ou consumidores:

    A) O que são as bactérias e fungos?
    _____
    _____

    B) O que são os vegetais que produzem seu próprio alimento por meio da fotossíntese?
    _____
    _____

    C) O que são os animais que se alimentam de vegetais e de outros animais?
    _____
    _____

    D) Qual posição os decompositores ocupam na cadeia alimentar?
    _____
    _____

    E) Por que os decompositores são importantes para a natureza?
    _____
    _____

    F) O que é uma cadeia alimentar?
    _____
    _____
    _____
    _____

NOME: _____

DATA: ___/___/_____

29ª SEMANA

2. Observe o desenho e responda:

A) Quem são os decompositores?

B) Quem são os produtores?

C) Quem são os consumidores?

D) Quem é o animal herbívoro?

E) Como você classifica a ave? Por quê?

3º ano – 2A EDIÇÃO

107

29ª SEMANA

NOME: _____

DATA: ____/____/_____

3. Desenhe uma cadeia alimentar e identifique seus membros.

NOME: _____

DATA: ___/___/_____

30ª SEMANA

MAIS INFORMAÇÕES SOBRE A CADEIA ALIMENTAR

1. Complete o texto com uma das palavras do quadro:

> plantas animais alimento energia fotossíntese
> produtores consumidores Herbívoros Carnívoros Onívoros
> fungos bactérias decompositores

Ao se alimentarem das _____, os _____ consomem o _____ necessário para a sua sobrevivência. A _____ passa da planta para o animal e deste para o animal que dele se alimentar.

Pelo processo da _____, plantas, algas e bactérias produzem seus alimentos, eles são os _____.

Os animais, como só comem e não produzem o alimento, são os _____.

Os consumidores podem ser:

_____, quando se alimentam só de vegetais.

_____, quando se alimentam apenas de outros animais.

_____, quando se alimentam tanto de vegetais como de animais.

Alguns _____ e _____ decompõem plantas e animais mortos. São os _____.

3º ano – 2A EDIÇÃO

2. Ligue corretamente:

Decompositores •   • Homem, porco e galinha.

• Plantas.

Produtores •   • Podem ser herbívoros, que se alimentam de plantas; carnívoros, que se alimentam de animais; e onívoros, que se alimentam de plantas e animais.

Consumidores •   • Produzem o próprio alimento.

• É a transferência de matéria entre produtores, consumidores e decompositores.

Fotossíntese •   • Processo de fabricação do alimento pela planta.

• Bactérias e fungos.

Cadeia alimentar •   • Decompõem as plantas e animais mortos. Ajudam a recompor e a fertilizar o solo.

NOME: _____

DATA: ____/____/_____

30ª SEMANA

3. De acordo com os conhecimentos adquiridos, descreva com suas palavras a cadeia alimentar abaixo. Identifique todos os membros:

3º ano – 2A EDIÇÃO

111

30ª SEMANA

NOME: _____

DATA: ____/____/_____

RELAÇÃO ENTRE SERES VIVOS DE ESPÉCIES DIFERENTES

Essa relação acontece em virtude da obtenção de alimentos.

Elas podem ser classificadas em seis tipos:

- Mutualismo ou simbiose: acontece quando dois ou mais seres vivos de diferentes espécies se juntam para obterem benefícios.
- Inquilinismo: quando um ser vivo traz alguns benefícios a outro de espécie diferente sem ter benefício nem ser prejudicado. Um ser vivo ajuda o outro, sem receber nada em troca.
- Comensalismo: relação entre organismos de espécies distintas na qual uma delas se aproveita dos restos alimentares da outra.
- Parasitismo: quando um ser vivo se aloja no corpo de outro ser vivo de diferente espécie e se alimenta dele. Essa relação traz algum prejuízo a quem alimenta, como doença e até a morte.
- Competição: quando dois seres vivos de diferentes espécies disputam elementos do meio ambiente necessário à sua sobrevivência.
- Predatismo: relação estabelecida entre predadores e presas, ou seja, caçadores e caças, envolvendo animais de diferentes espécies.

TUBARÃO E RÊMORA, RELAÇÃO DE COMENSALISMO.

PLANTA CARNÍVORA E MOSCA: RELAÇÃO DE PREDATISMO.

31ª SEMANA

NOME: _____

DATA: ___/___/_____

1. Leia as explicações e escreva o nome da relação:

   A) Seres vivos de diferentes espécies classificados como predador e presa.

   _____

   B) Seres vivos de diferentes espécies que se juntam e ambos obtêm benefícios.

   _____

   C) Seres vivos de diferentes espécies que disputam elementos de um mesmo ambiente para a sobrevivência.

   _____

   D) Relação em que um ser vivo se beneficia de outro de diferente espécie sem prejuízo.

   _____

   E) Relação em que um ser vivo obtém benefício alimentar a partir de outro, sem prejudicá-lo.

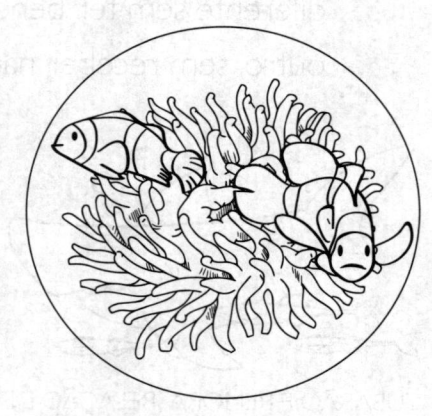

   _____

   PEIXE-PALHAÇO E ANÊMONAS: RELAÇÃO DE INQUILINISMO.

   F) Relação em que um ser vivo se aloja em outro de diferente espécie para se alimentar e lhe causa prejuízo.

   _____

NOME: _____

DATA: ___/___/_____

31ª SEMANA

2. Gafanhotos são insetos que se alimentam de plantas. Se não houvesse pássaros e outros consumidores de gafanhotos, a população desses insetos aumentaria demais, ameaçando as plantações.

Como podemos definir a relação entre gafanhotos e pássaros?
_____

3. Qual é a relação entre o cachorro e a pulga?

_____
_____

3º ano – 2A EDIÇÃO

NOME: _____

DATA: ____/____/_____

O CORPO HUMANO

O nosso corpo tem um esqueleto formado por ossos curtos, longos e chatos.

A coluna vertebral é a parte central do esqueleto. Ela faz parte do sistema nervoso. A medula espinhal passa pela coluna vertebral.

- Os ossos longos: braços e pernas.
- Ossos curtos: dedos dos pés, das mãos e das vértebras.
- Ossos chatos: do ombro e da cabeça.

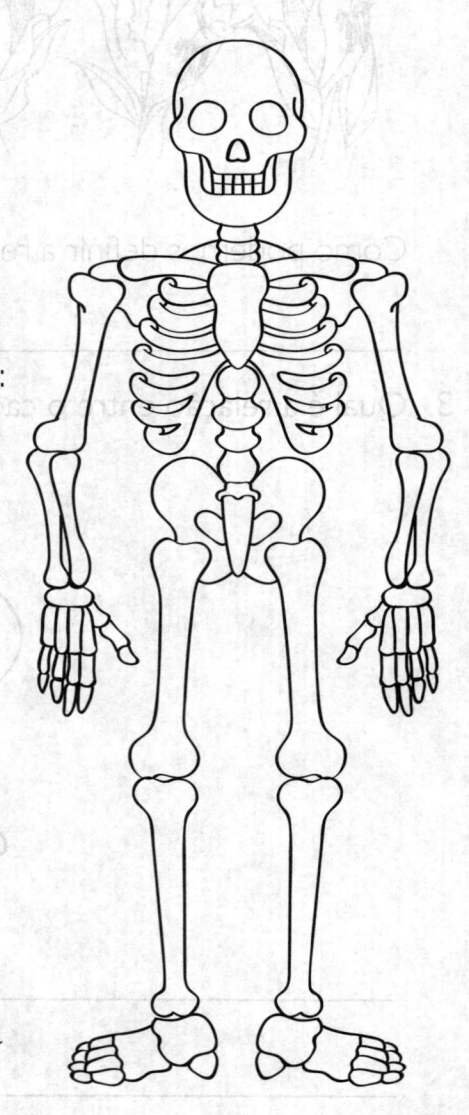

O corpo humano é dividido em três partes:

- Cabeça: região do corpo em que se localizam o cérebro, a boca, o nariz, as orelhas e os olhos.

O pescoço é a parte que liga a cabeça ao tronco.

- Tronco: é formado pelo tórax, abdômen, pélvis e coluna vertebral.
- Os membros são superiores e inferiores:
  - superiores: são formados por braço, antebraço e mão.
  - inferiores: são formados por coxa, perna e pé.

NOME: _____

DATA: ____/____/_____

32ª SEMANA

1. Recorte, de jornais e revistas, partes do corpo humano, cole-as, montando uma pessoa, e identifique as partes.

PARTES DO CORPO HUMANO

3º ano – 2A EDIÇÃO

117

32ª SEMANA

NOME: _____

DATA: ___/___/_____

2. Identifique as partes do corpo humano:

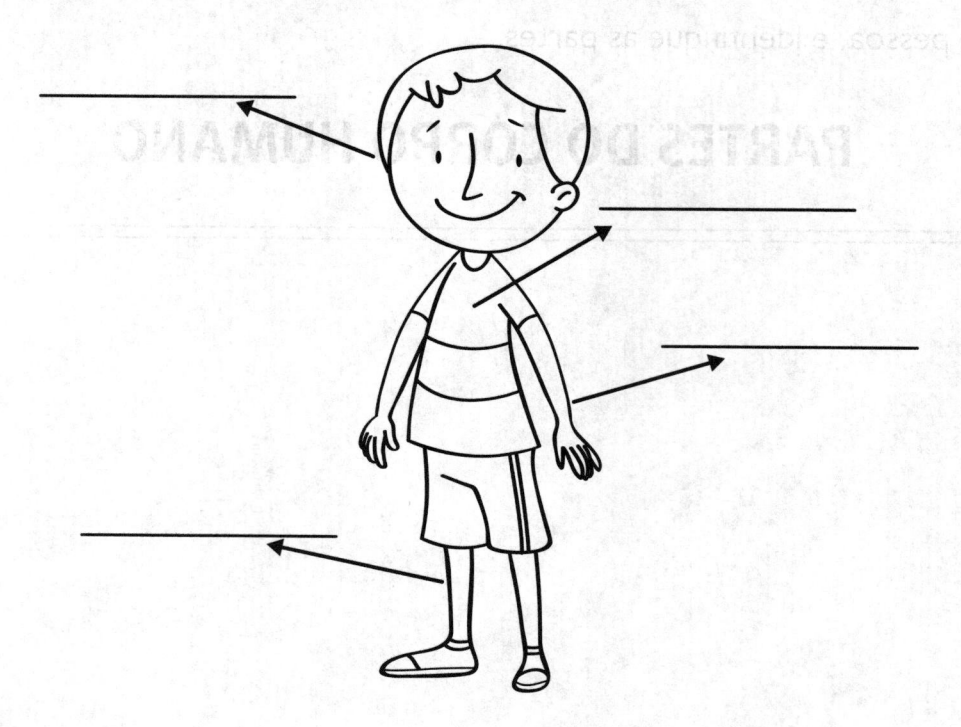

_____

_____

_____

_____

3. Observe os desenhos e forme frases com as partes do corpo:

A)

_____

B)

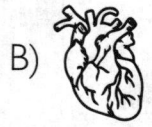

_____

C)

_____

3º ano — 2A EDIÇÃO

NOME: _____

DATA: ____/____/_____

32ª SEMANA

4. Explique:

ESQUELETO

_____
_____
_____
_____

CRÂNIO

_____
_____
_____
_____

COSTELAS

_____
_____
_____
_____

PÉLVIS OU BACIA

_____
_____
_____
_____

3º ano – 2A EDIÇÃO

CUIDADOS QUE DEVERMOS TER COM NOSSO CORPO

A posição do corpo é de grande importância para nossa saúde. Devemos sentar de modo que a coluna vertebral fique em posição vertical. Uma postura errada provoca a deformação do esqueleto, ainda em processo de ossificação. Com o amadurecimento dos ossos, as deformações serão irreparáveis e de graves consequências para nossa saúde.

É muito importante para a saúde manter os hábitos de higiene pessoal. Então, devemos tomar banho diariamente e usar roupas limpas, escovar os dentes após as refeições e antes de dormir. É preciso lavar sempre as mãos depois de usar o banheiro e antes das refeições, manter as unhas curtas e limpas e não andar descalço.

Para manter o corpo hidratado, é preciso beber bastante água filtrada ou fervida.

É necessário se alimentar de forma saudável e estar bem atento à conservação dos alimentos:

- Lavar as frutas e verduras;
- Ferver o leite antes de consumir;
- Guardar os alimentos para não pousar moscas;
- Observar a validade dos alimentos.

Para ter boa saúde, devemos dormir no mínimo oito horas por dia em quarto limpo e arejado. É durante o sono que produzimos hormônios para o crescimento e desenvolvimento. Guardamos também informações importantes que adquirimos durante o dia.

Para ter boa saúde mental, é necessário ler bons livros e ouvir boas músicas, passear ao ar livre, praticar esportes e brincar muito. Sorrir também faz bem.

NOME: _____

DATA: ____/____/_____

33ª SEMANA

1. Escreva as ações praticadas de acordo com os hábitos de higiene:

_____
_____

_____
_____

_____
_____

_____
_____
_____

_____
_____

_____
_____

_____
_____

3º ano – 2A EDIÇÃO

33ª SEMANA

NOME: _____

DATA: ____/____/_____

2. Responda com atenção:

A) Cite três cuidados que devemos ter em relação à higiene pessoal.
_____

B) O que devemos fazer para manter nosso corpo hidratado?
_____

C) Qual a importância da água? E como ela deve ser?
_____

D) O que podemos fazer para melhorar a qualidade da água?
_____

E) Quais cuidados devemos ter com os alimentos?
_____

F) Quantas horas devemos dormir para ter uma boa saúde?
_____

G) Qual a importância de dormir bem?
_____

H) O que devemos fazer para manter a saúde mental?
_____

NOME: _____

DATA: ____/____/_____

33ª SEMANA

3. Marque os produtos que você usa em sua higiene.

☐ Sabonete

☐ Xampu

☐ Condicionador

☐ Creme dental

☐ Desodorante

☐ Hidratante

☐ Escova de dentes

3º ano – 2A EDIÇÃO

NOME: _____

DATA: ___/___/_____

OS MÚSCULOS

O esqueleto é coberto de músculos e pele.

O corpo humano tem mais de 600 músculos estriados esqueléticos. É a contração dos músculos, que, em geral, permite a movimentação dos ossos.

Os músculos têm tamanhos e funções diferentes. Eles nos ajudam a comer, andar, falar, sorrir, mastigar, pular e muito mais.

O nosso corpo é protegido pela pele, que é formada de epiderme, derme e hipoderme.

- Epiderme: primeira camada da pele, a mais superficial. Por ela transpiramos.
- Derme: é a segunda camada da pele.
- Hipoderme: é a camada mais profunda da pele. É um tecido conjuntivo, com muitas células de gordura.

1. Complete as frases com as palavras do quadro:

| músculos voluntários involuntários locomoção digestão ações |
| piscar sorrir corpo seiscentos ossos esqueléticos resistentes flexíveis |

A) Os _____ são responsáveis por todos os movimentos que realizamos, sejam _____, sejam _____.

B) Participam de importantes funções como a _____ _____, a circulação, a _____, a excreção e de _____ simples como _____ _____ os olhos e _____.

C) O nosso _____ possui mais de _____ músculos e muitos deles são ligados aos _____, sendo chamados de _____.

D) Alguns hábitos saudáveis são essenciais para mantê-los _____ e _____.

3º ano – 2A EDIÇÃO

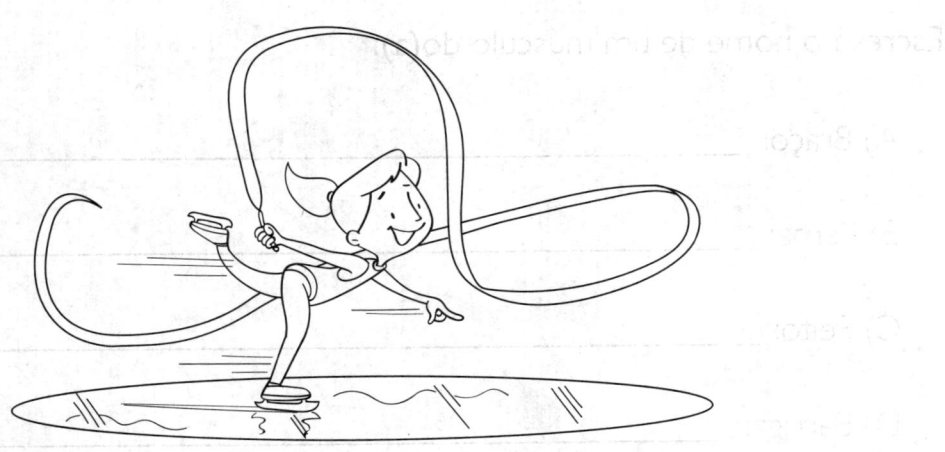

125

34ª SEMANA

NOME: _____

DATA: ___/___/_____

2. Observe o desenho com os nomes dos músculos e faça o que se pede:

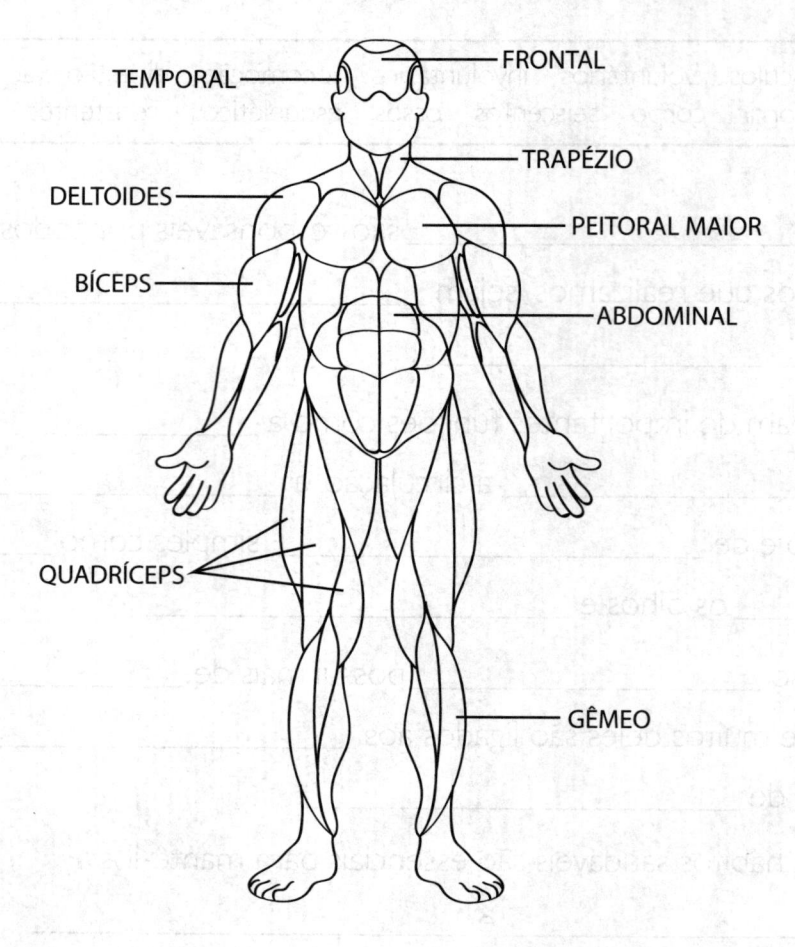

- TEMPORAL
- FRONTAL
- TRAPÉZIO
- DELTOIDES
- PEITORAL MAIOR
- BÍCEPS
- ABDOMINAL
- QUADRÍCEPS
- GÊMEO

Escreva o nome de um músculo do(a):

A) Braço: _____

B) Perna: _____

C) Peito: _____

D) Barriga: _____

NOME: _____

DATA: ____/____/_____

34ª SEMANA

3. Responda:

   A) O que é músculo?
   _____
   _____

   B) O que devemos fazer para manter os músculos saudáveis?
   _____
   _____

   C) Defina músculos voluntários e músculos involuntários.
   _____
   _____

4. Observe o desenho e escreva qual músculo é distendido e contraído:

5. Agora, marque:

   | A para músculos voluntários | | B para músculos involuntários |

   ◯ Músculo que permite cruzar as pernas.

   ◯ Músculo do estômago.

   ◯ Músculo do coração.

   ◯ Músculo que permite enrugar a testa.

3º ano – 2A EDIÇÃO

35ª SEMANA

NOME: _____

DATA: ___/___/_____

OS SENTIDOS

São cinco os sentidos do nosso corpo. Com eles, percebemos todo o ambiente que nos cerca: vendo, ouvindo, sentindo o cheiro e o gosto das coisas.

- Visão: os olhos são os órgãos da visão. Com eles, podemos ver as coisas e diferenciá-las.

- Audição: as orelhas são os órgãos da audição. Com elas, percebemos os sons.

- Paladar: na boca, encontramos o sentido do paladar. Podemos perceber o gosto ou sabor de tudo o que comemos.

- Olfato: o nariz é o órgão do olfato. Os cheiros nos guiam e indicam objetos à nossa volta.

- Tato: o tato está nas mãos. O tato encontra-se em toda a nossa pele. Ele desperta a sensibilidade sobre a natureza das coisas: mole, dura, quente, fria.

NOME: _____

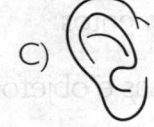

DATA: ____/____/_____

35ª SEMANA

1. Forme frases com os sentidos e os órgãos responsáveis.

   A) _____
   _____
   _____

   B) _____
   _____
   _____

   C) _____
   _____
   _____

   D) _____
   _____
   _____

   E) _____
   _____
   _____

35ª SEMANA

NOME: _____

DATA: ___/___/_____

2. Complete o diagrama dos sentidos:

A) Percebemos as cores do arco-íris com a _____.

B) Os _____ são os órgãos da visão.

C) Ouvimos o som por meio da _____.

D) Os nossos _____ são responsáveis pela audição.

E) Descobrimos que um frango delicioso está assando por meio do _____.

F) O _____ é o órgão responsável pelo cheiro.

G) Deliciamo-nos com uma torta de morango por meio do _____.

H) É na _____ que sentimos o sabor dos alimentos.

I) É o _____ responsável pela sensibilidade das coisas e objetos.

J) Sentimos o calor do Sol por meio da _____.

NOME: _____

DATA: ____/____/_____

35ª SEMANA

3. Escreva o sentido responsável:

A) O vapor da chaleira está quente.
_____

B) O canto dos pássaros é fascinante.
_____

C) Como está quente hoje!
_____

D) Que cheiro de chulé horrível!
_____

E) O som da TV está alto.
_____

F) O feijão ficou salgado.
_____

G) As cores do arco-íris são lindas!
_____

H) A música está alta.
_____

I) A textura da parede ficou áspera.
_____

J) Tomei chocolate quente.
_____

K) O quarto está escuro.
_____

3º ano — 2A EDIÇÃO

35ª SEMANA

NOME: _____

DATA: ____/____/_____

4. Escreva os cuidados que devemos ter com os órgãos dos sentidos:

Órgãos	Cuidados
(olhos)	_____ _____ _____
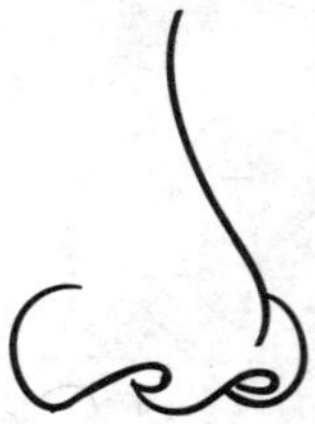 (nariz)	_____ _____ _____
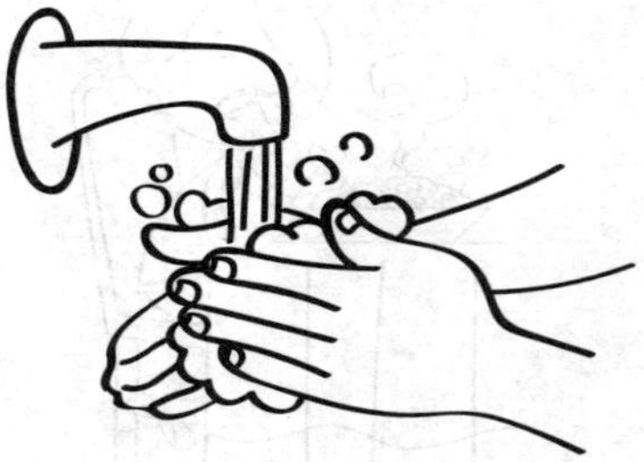 (mãos)	_____ _____ _____
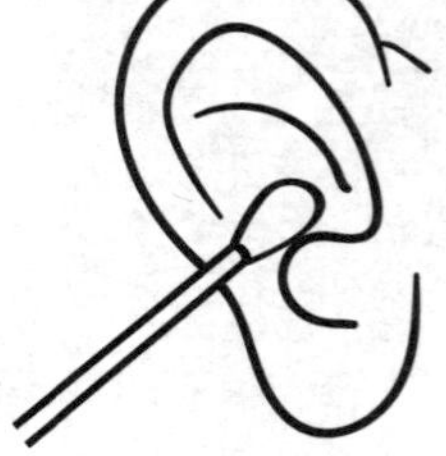 (ouvido)	_____ _____
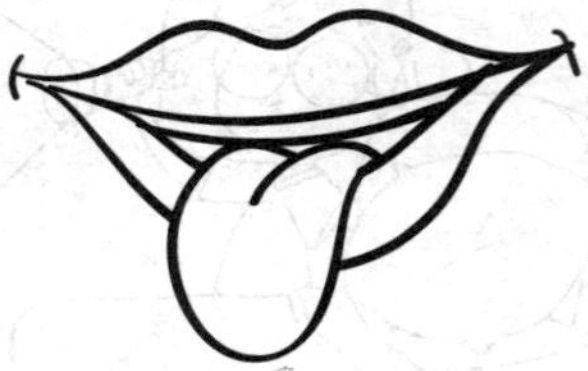 (boca)	_____ _____

132　　　　　　　　　　　　　　　3º ANO — 2A EDIÇÃO

NOME: _____

DATA: ___/___/_____

36ª SEMANA

RECICLAGEM

Hoje em dia, o lixo, se for separado, pode ser aproveitado por meio da reciclagem. Podem ser reciclados papéis, plásticos, vidros e até restos de alimentos, que são transformados em adubo.

Em nossa casa, a lixeira deve estar sempre tampada e o lixo para coleta também deve ser organizado em sacos para evitar insetos nocivos.

A reciclagem ajuda a diminuir o lixo e a reduzir a extração de recursos, porém uma sociedade sustentável não se faz só com a reciclagem. Há muitas outras medidas que precisam ser executadas.

Reaproveitando o lixo descartado, damos origem a um novo produto ou a uma nova matéria-prima com o objetivo de diminuir a produção de rejeitos e o seu acúmulo na natureza, buscando reduzir o impacto negativo no meio ambiente. Praticam-se, então, um conjunto de técnicas e procedimentos que vão desde a separação do lixo até sua transformação final em outro produto.

36ª SEMANA

NOME: _____

DATA: ____/____/_____

1. Escreva o que podemos reciclar a partir da matéria-prima:

Metal
_____
_____
_____
_____

Plástico
_____
_____
_____
_____

Papel
_____
_____
_____
_____

Vidro
_____
_____
_____
_____

3º ano — 2A EDIÇÃO

NOME: _____

DATA: ____/____/_____

36ª SEMANA

2. Complete o texto com uma das palavras do quadro:

| reciclar   reaproveitar   orgânicos   inorgânicos |
| alimentos   orgânicos   aproveitados   inorgânicos   vidro |
| plástico   reciclagem   lixo   papel   metal   vidro   plástico |

_____ é o mesmo que _____ materiais _____ e _____ para serem utilizados novamente.

Os _____ são considerados _____, as sobras de alimentos como cascas de legumes e frutas também são orgânicos e podem ser _____.

Os materiais _____, como garrafas de _____ e _____, serão também reciclados.

Para contribuir com o processo de _____ o _____ é separado em quatro recipientes: _____, _____, _____, _____.

Agora, copie o texto completo:

_____

_____

_____

3º ano – 2A EDIÇÃO

135

36ª SEMANA

NOME: _____

DATA: ___/___/_____

3. Ligue os objetos correspondentes e pinte as lixeiras com as cores correspondentes:

PAPEL

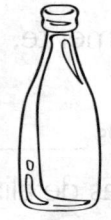

ORGÂNICO

METAL

VIDRO

PLÁSTICO

3º ano – 2A EDIÇÃO

NOME: _____

DATA: ___/___/_____

36ª SEMANA

4. Leia o texto:

QUEM RECICLA O LIXO VIVE DE BEM COM A NATUREZA E COM A CONSCIÊNCIA!

Geralmente, o lixo descartado pelas pessoas que vivem na zona urbana acaba nos lixões, prática que favorece o aumento da poluição do meio ambiente.

O lixo jogado nas ruas contribui para alagamentos e diversos outros problemas, como a propagação de doenças. As embalagens de produtos que são descartados inadequadamente são responsáveis também pela poluição de rios, ocasionando a morte de muitos animais.

A melhor forma para tentar diminuir a grande quantidade de lixo gerada pela população está na conscientização. Reciclar ou reutilizar o que não tem mais utilidade é um ato de amor com o nosso planeta.

Escreva como as pessoas podem colaborar para o processo de reciclagem:

_____
_____
_____
_____
_____

3º ano — 2A EDIÇÃO

NOME: _____

DATA: ____/____/_____

37ª SEMANA

FAZENDO PAPEL

Esta receita é de reciclagem de papel. A reciclagem caseira, além de educativa e divertida, é também uma forma de vivenciar o processo. Os papéis que você não reciclar podem ser separados e encaminhados para catadores, sucateiros, entidades assistenciais ou, se existir na sua cidade, para o programa de coleta seletiva.

Material necessário:

- Uma forma retangular ou quadrada.
- Uma bacia funda de plástico.
- 3 copos grandes de água.
- Um jornal.
- Uma garrafa arredondada e vazia de vidro ou um rolo de macarrão.

Como fazer:

- Rasgue uma ou duas folhas de jornal em pedacinhos.
- Coloque o jornal picado dentro da bacia e adicione toda a água. Continue adicionando papel. Rasgue e esprema o papel até obter uma massa que pareça mingau grosso, que chamaremos de polpa.
- Vire a fôrma para baixo e coloque sobre a superfície dela uma xícara de polpa de papel. Com os dedos, espalhe a polpa sobre a fôrma por igual.
- Coloque várias folhas de jornal sobre a polpa, para segurá-la contra a fôrma.
- Vire a fôrma com cuidado e retire-a. A camada de polpa ficará sobre o jornal.
- Dobre o jornal sobre a polpa. Passe o rolo sobre o jornal para retirar o excesso de água.
- Abra o jornal e deixe seu papel reciclado secar completamente.

Agora, temos um novo papel para ser reutilizado!

Faça dele uma obra de arte e apresente para toda a turma.

NOME: _____

DATA: ___/___/_____

38ª SEMANA

ORIGEM DOS ALIMENTOS

A alimentação nos dá energia para realizarmos as tarefas do dia. Fortalece o organismo contra doenças, contribui para a aprendizagem e fornece proteínas, vitaminas e sais minerais de que precisamos.

Encontramos o que necessitamos nos alimentos de origem animal, vegetal e mineral.

- Origem animal: alimentos retirados dos animais, como ovo, leite, carne e derivados.
- Origem vegetal: alimentos retirados dos vegetais, que são ricos em vitaminas e sais minerais.
- Origem mineral: alimentos de origem mineral, como o sal e a água.

3º ano — 2A EDIÇÃO

NOME: _____

38ª SEMANA

DATA: ___/___/_____

1. Complete o diagrama de palavras e, em seguida, classifique os alimentos, escrevendo-os dentro do quadro certo:

```
N
U
T
R
I
E
N
T
E
S
```

Origem vegetal	Origem animal	Origem mineral

140   3º ano — 2A EDIÇÃO

NOME: _____

DATA: ____/____/_____

38ª SEMANA

2. Monte seu almoço com imagens de jornais e revistas ou desenhe.

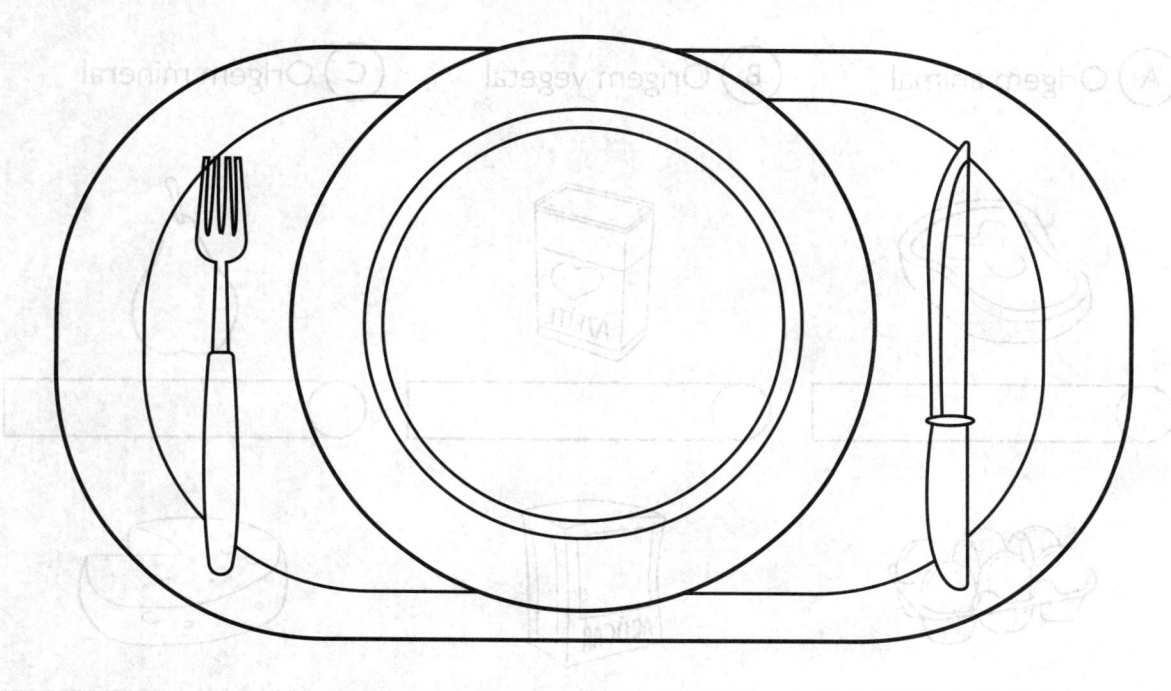

Agora, identifique os alimentos e classifique-os em animal, vegetal ou mineral:

Grãos	Origem	Legumes	Origem
_____	_____	_____	_____
_____	_____	_____	_____
_____	_____	_____	_____

Carne	Origem	Verduras	Origem
_____	_____	_____	_____
_____	_____	_____	_____
_____	_____	_____	_____

3º ano — 2A EDIÇÃO

38ª SEMANA

NOME: _____

DATA: ____/____/_____

3. Escreva o nome dos alimentos e classifique-os conforme a legenda:

A) Origem animal   B) Origem vegetal   C) Origem mineral

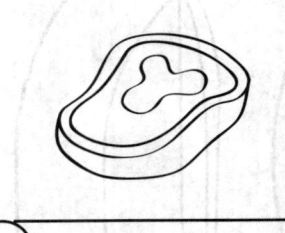

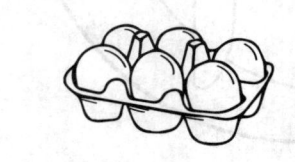

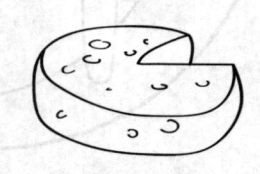

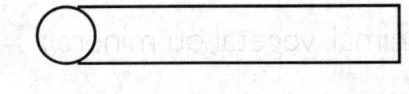

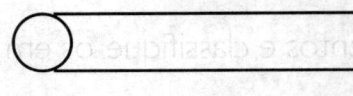

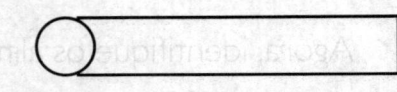

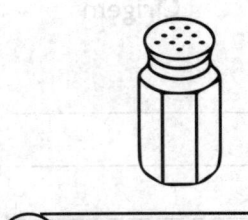

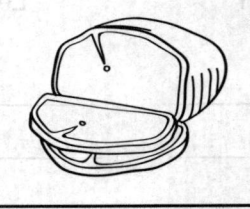

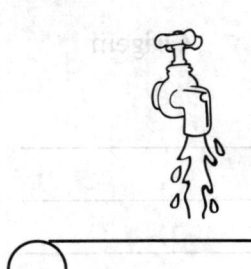

NOME: _____

DATA: ____/____/_____

38ª SEMANA

4. Marque o quadro de acordo com os alimentos de sua preferência:

ALIMENTOS	GOSTO	NÃO GOSTO
OVO		
LEITE		
PEIXE		
PÃO		
FRANGO		
LARANJA		
FEIJÃO		
BETERRABA		

Dos alimentos que você gosta, a maioria é de que origem?

_____
_____

3º ano – 2ª EDIÇÃO

143

ALIMENTAÇÃO E SAÚDE

Assim como todo ser vivo, nós também precisamos nos alimentar. Quando colocamos um alimento na boca, inicia-se o processo de digestão.

Por meio da digestão, o corpo retira dos alimentos os nutrientes necessários para a realização de todas as atividades orgânicas.

O estômago e os intestinos são alguns dos órgãos que fazem a digestão dos alimentos. Esses órgãos estão na parte interna do abdome.

Os elementos que não são aproveitados pelo organismo são eliminados na forma de fezes.

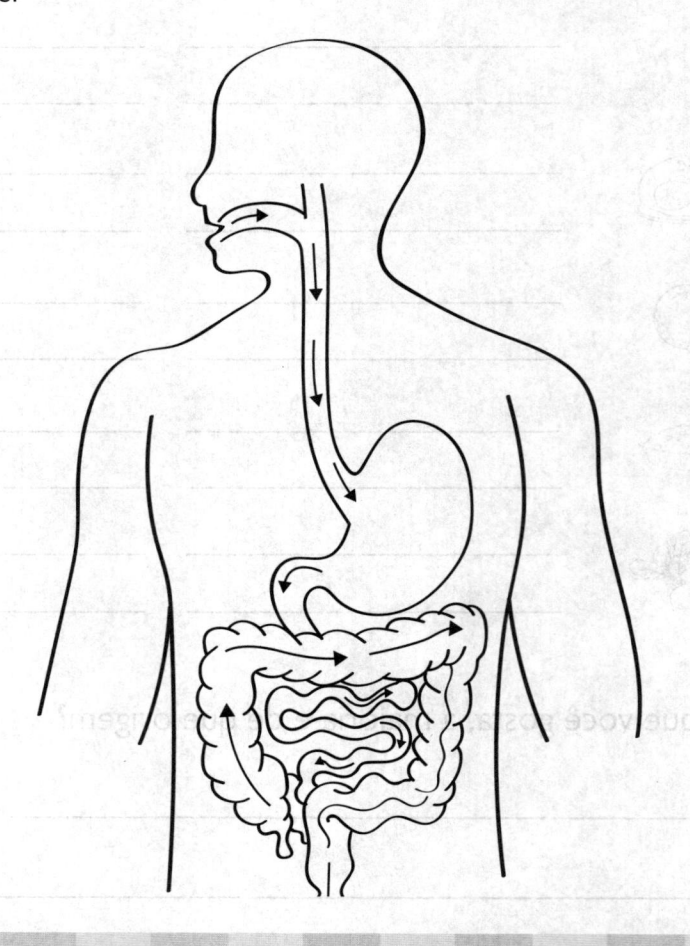

1. Observe o desenho e, depois, escreva como acontece o processo digestivo.

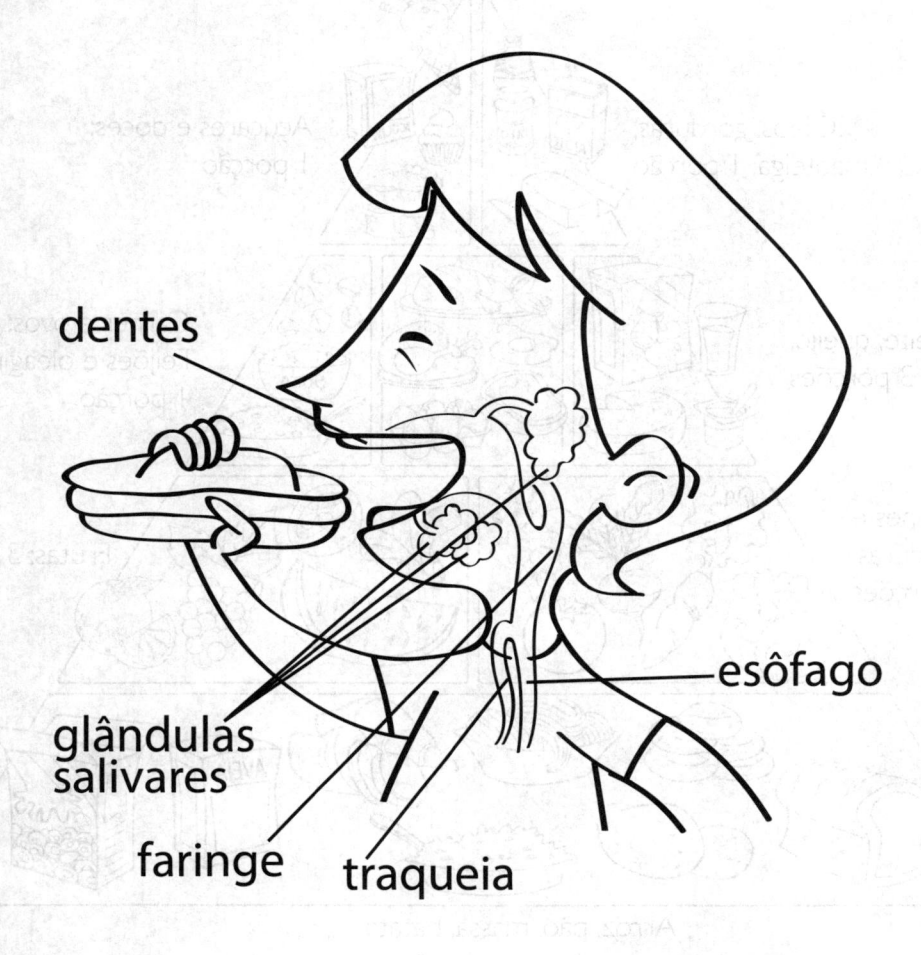

dentes
glândulas salivares
faringe
traqueia
esôfago

_____
_____
_____
_____

39ª SEMANA

NOME: _____

DATA: ____/____/_____

2. Observe a pirâmide alimentar:

Óleos, gorduras, manteiga: 1 porção

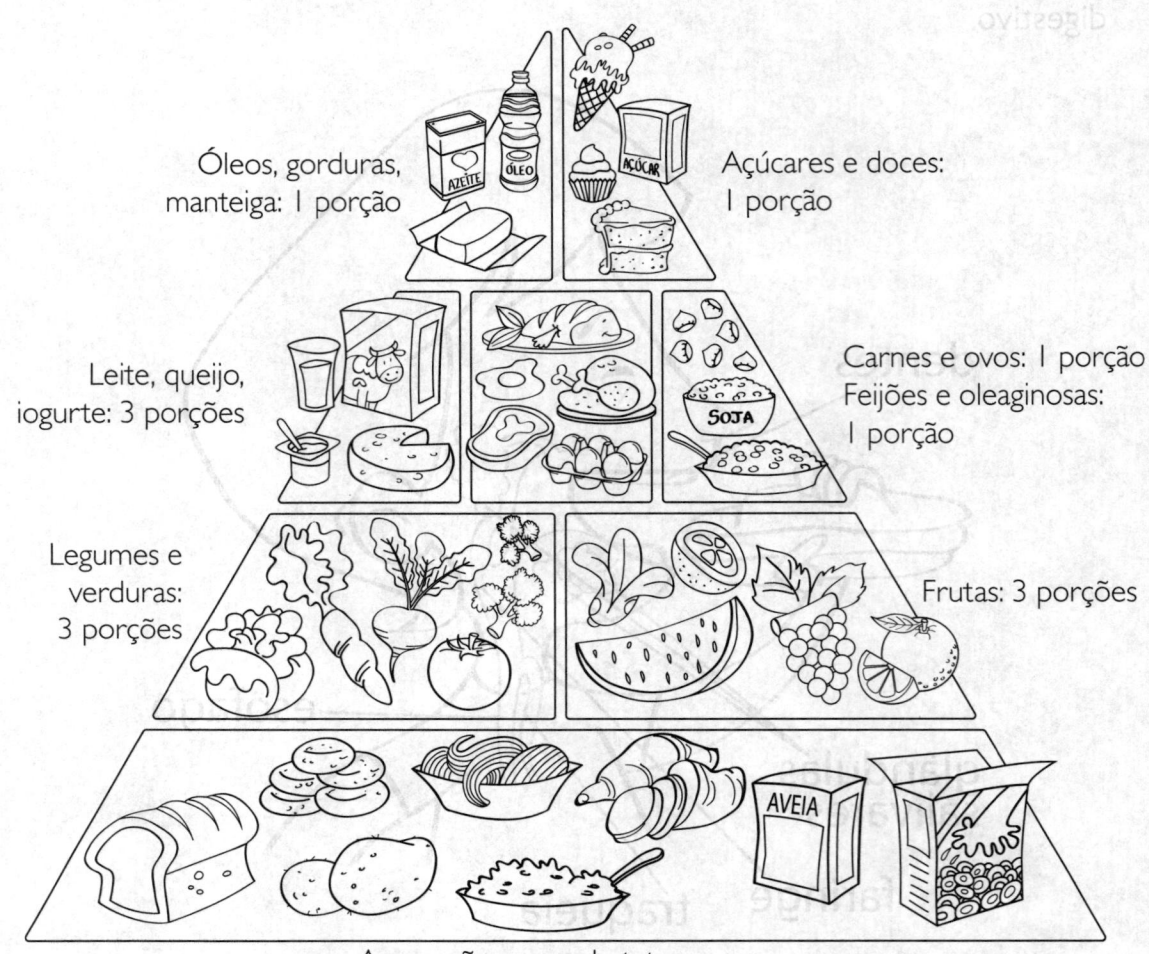

Açúcares e doces: 1 porção

Leite, queijo, iogurte: 3 porções

Carnes e ovos: 1 porção
Feijões e oleaginosas: 1 porção

Legumes e verduras: 3 porções

Frutas: 3 porções

Arroz, pão, massa, batata, mandioca: 6 porções

NOME:_____

DATA:____/____/_____

39ª SEMANA

E, agora, complete esta, escrevendo os nomes dos alimentos nos locais certos:

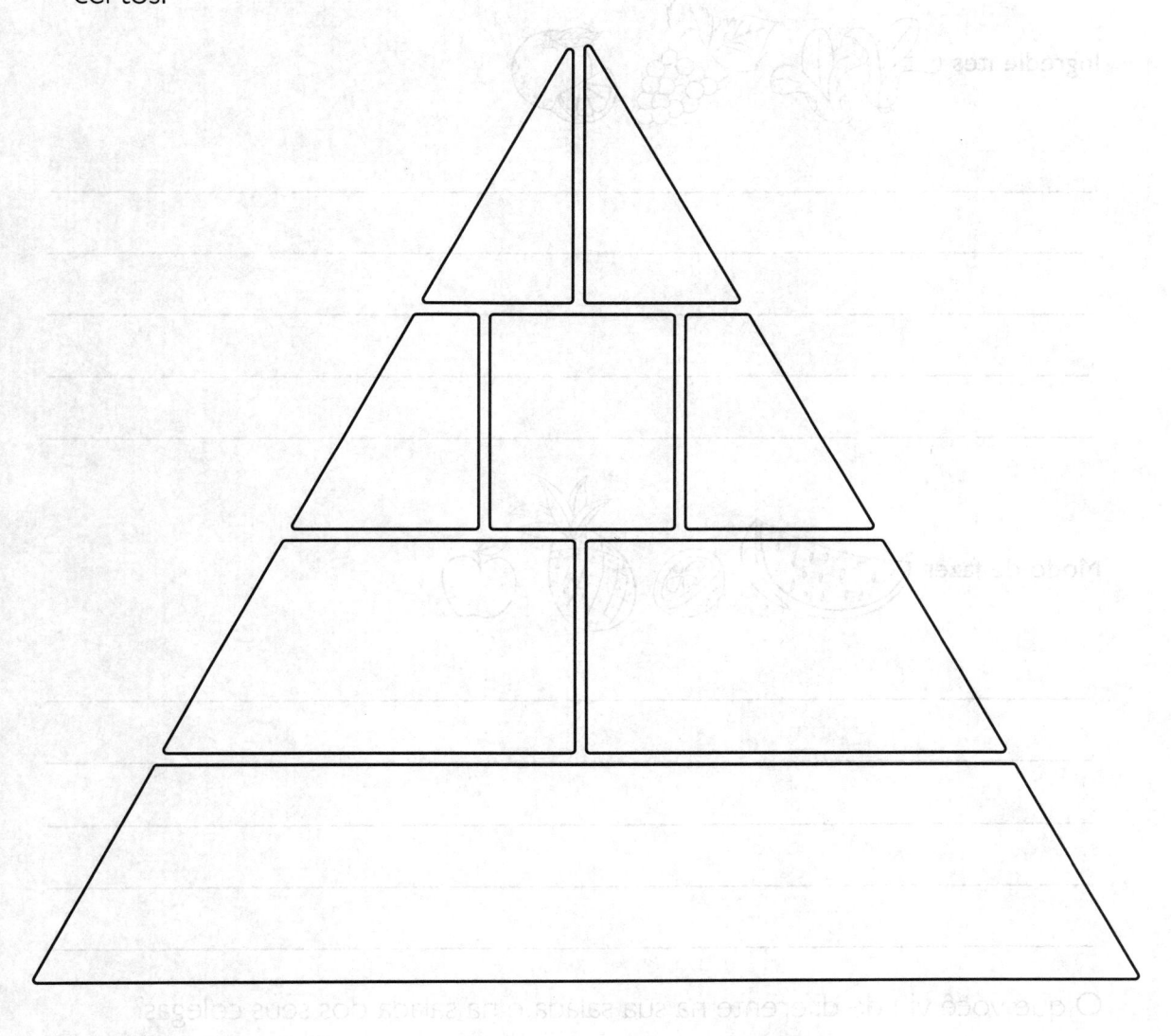

3º ano — 2A EDIÇÃO

147

39ª SEMANA

NOME: _____

DATA: ____/____/_____

3. Hoje você é o cozinheiro. Faça uma salada de frutas do seu gosto.

Ingredientes

_____
_____
_____
_____
_____

Modo de fazer

_____
_____
_____
_____
_____

O que você viu de diferente na sua salada e na salada dos seus colegas?

_____
_____
_____
_____

NOME: _____

DATA: ___/___/_____

40ª SEMANA

PRIMEIROS SOCORROS

Primeiros socorros são ações que devem ser praticadas rapidamente quando alguém se machuca ou começa a sentir algum tipo de mal-estar.

Quando a pessoa tem um ferimento ou mal-estar, o melhor a fazer é procurar ajuda. Em alguns casos, é possível ajudar com um curativo; em outros, é necessário tomar outras providências como prestar os primeiros socorros, chamar uma ambulância, ligando para o número 192, ou encaminhar para o hospital ou pronto-socorro mais próximo.

3º ano — 2A EDIÇÃO

40ª SEMANA

NOME: _____

DATA: ____/____/_____

1. O que fazer nos casos abaixo:

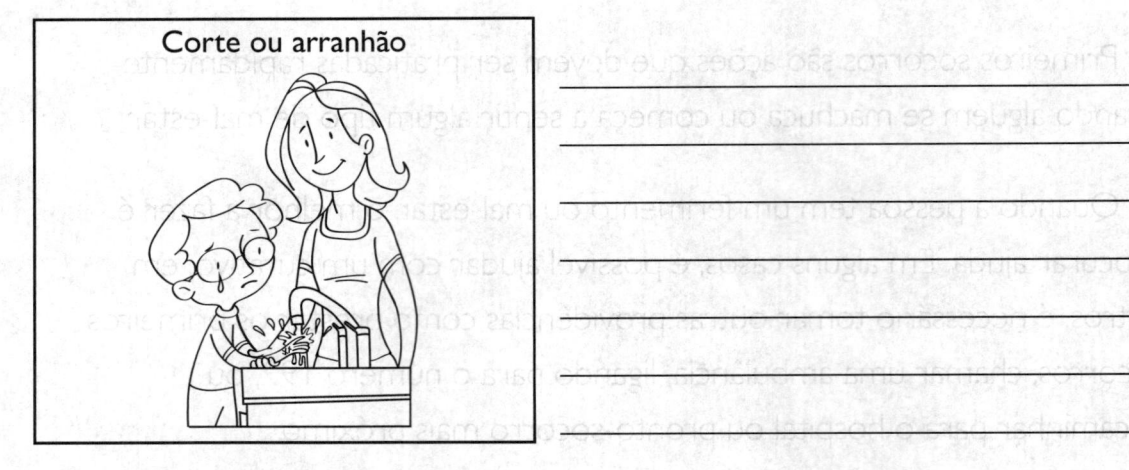

Corte ou arranhão

_____
_____
_____
_____
_____
_____

Hemorragia nasal

_____
_____
_____
_____
_____
_____
_____

Queimaduras

_____
_____
_____
_____
_____
_____
_____

NOME: _____

DATA: ____/____/_____

40ª SEMANA

2. Responda:

   A) Quais as regras básicas para prestar os primeiros socorros?

   B) Pesquise e escreva o nome dos telefones abaixo:

   • Bombeiros: _____

   • Polícia militar: _____

   C) Escreva três cuidados para evitar acidentes.
   _____
   _____
   _____

   D) O que são os primeiros socorros?
   _____
   _____
   _____
   _____

   E) O que você coloria em um estojo de primeiros socorros?
   _____
   _____
   _____
   _____

3º ano — 2A EDIÇÃO

40ª SEMANA

NOME: _____

DATA: ____/____/_____

3. O que fazer em:

   A) Afogamento.

   _____
   _____

   B) Choque elétrico.

   _____
   _____

   C) Ferimentos mais graves.

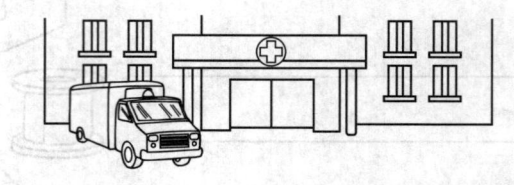

   _____
   _____

RESPOSTAS DAS ATIVIDADES

Págs. 10/11/12/13 — **1.** joaninha (SV), tartaruga (SV), balde (NV), menina (SV), balão (NV), árvore (SV), bola (NV), borboleta (SV), lápis (NV). **2.** Pessoal. **3.** Pessoal. **4.** Pessoal.

Págs. 15/16/17 — **1.** A) Mercúrio. B) Planeta Terra. C) Mercúrio, porque está mais próximo do Sol. D) não possuem luz própria / Sol. E) Netuno. F) Porque é o planeta que está mais longe do Sol. **2.** A) Sistema Solar. B) Astros. C) Estrelas / luz própria. D) Sol. E) Satélites / planeta. F) Lua / Terra.

3.

K	M	E	R	C	Ú	R	I	O	L	X	J
M	U	T	A	B	M	V	Q	N	M	Z	Ú
V	Ê	N	U	S	B	R	X	Z	W	H	P
A	B	N	M	Z	X	T	R	S	L	K	I
M	T	K	N	E	T	U	N	O	E	U	T
I	E	H	K	Ç	J	K	G	F	N	I	E
Y	R	G	S	A	T	U	R	N	O	N	R
R	R	V	J	R	U	R	W	T	Y	F	E
W	A	X	H	E	E	A	Q	D	S	A	H
B	Q	C	I	A	A	N	G	I	A	J	N
M	A	R	T	E	N	O	T	X	V	Q	V

4. A) Terra. B) Um astro iluminado porque não possui luz própria. C) Lua. **5.** A) A Terra gira em torno do Sol. **6.** Pintar de azul os oceanos e de marrom os continentes.

Págs. 19/20/21 — **1.** A) Porque a Lua se movimenta ao redor da Terra recebendo a luz do Sol em algumas de suas partes. B) Lua nova, Lua cheia, Lua quarto minguante, Lua quarto crescente. C) A Lua não possui luz própria. Ela reflete a luz do Sol de formas variadas conforme a posição em que se encontra. **2.** A) Lua nova. B) Lua cheia. C) Lua quarto crescente. D) Lua quarto minguante. **3.** A) Apenas metade fica visível. B) O reflexo da luz é visível em toda a superfície da Lua. C) Apenas metade fica visível. D) O Sol ilumina a fase que não está virada para a Terra por isso, não podemos ver a luz sendo refletida. **4.** Pessoal.

Págs. 23/24 — **1.** T / R / R / T / R / T. **2.** Pessoal. **3.** A) Movimento de translação. B) Movimento de rotação. C) Translação. D) 24 h. **4.** A) Anti-horário. **5.** Translação / O movimento que a Terra dá em torno do Sol e que dura 365 dias.

Págs. 26/27/28 — **1.** A) Esquerda. B) Acima. C) Abaixo. D) Direita. **2.** A) Oeste. B) Norte. C) Sul. D) Leste. **3.** A) Leste. B) Sul. C) Oeste. **4.** O dia começa quando o Sol **nasce**. / O lugar onde o Sol nasce é chamado **nascente**. O nascente é também chamado de **Leste**. / O lugar onde o Sol desaparece à tardinha é chamado de **poente**. O poente é também chamado de **Oeste**. / O **Sol** é um importante meio de orientação. Além dele temos também as **estrelas**. / O homem procurou conhecer o céu e percebeu que as estrelas aparecem agrupadas. Esse agrupamento chama-se **constelação**. / Essa constelação que aparece no céu do Brasil chama-se **Cruzeiro do Sul**. Ela tem esse nome devido à sua apresentação em forma de **cruz**. / A **bússola** é um aparelho que possui uma agulha que sempre aponta para o **Norte**.

Págs. 30/31/32/33 — **1.** O **ar** está em volta da **Terra** e é muito importante para nossa **sobrevivência**. O ar está presente em tudo que aparece na imagem acima. O ar é uma mistura de **gases**, entre eles, **oxigênio**, que usamos para **respirar**. O ar entra pelo **nariz** e sai pela **boca** e vai até os pulmões. Aí o **oxigênio** passa para o **sangue**, que percorre todo o nosso **corpo**. Na figura, há muitas **plantas**. Nela não entram carros. Por isso, o ar de um **ambiente natural** como o da figura é melhor para **respirar** do que o ar das grandes **cidades**. A) Pessoal. **2.** A) Podemos encontrar o ar em **toda** a superfície terrestre. B) O ar é importante para a sobrevivência de todos os seres vivos. C) Não, o ar é transparente. D) Sim. E) Podemos perceber o ar por meio do vento, pois nós sentimos o vento e conseguimos ver o que ele causa. F) Os principais tipos de vento são as brisas, as ventanias e os furacões. G) Biruta. **3.** Pessoal. **4.** Pessoal.

Pág. 35 — **1.** A) A água não caiu porque o ar exerceu pressão de baixo para cima. B) Ela é exercida em todas as direções: de cima para baixo; de baixo para cima; e dos lados. C) É a pressão do ar. D) Pessoal. E) V / F / F / V / F / V / V.

Págs. 37/38/39 — **1.** A) A folha. B) Oxigênio e gás carbônico. C) A raiz. D) Caule. **2.** A) Luz. B) Fotossíntese. C) Gás carbônico. D) Clorofila. E) Oxigênio. **3.** Luz solar, água e gás carbônico. **4.** A) Alternativa B. **5.** A) Folhas. B) Clorofila. C) Gás carbônico. D) Oxigênio.

Págs. 41 — **1.** O bicarbonato de sódio se uniu ao oxigênio que a planta liberou numa reação química. surgiu uma grande quantidade de bolhas indo ao encontro da superfície.

Págs. 43/44/45 — **1.** A) E B) Pessoal. **2.** A) Ar poluído é o ar com mudanças de cor, de cheiro e que pode afetar a saúde das pessoas. Podemos constatar a poluição do ar, na fumaça do escapamento dos automóveis, na fumaça das fábricas, nas queimadas e ainda no mau cheiro exalado. B) Pessoal. C) Pessoal. D) Pessoal. E) Pessoal. **3.** Pessoal. **4.** A **terra** arrastada pelas **enxurradas** acumula-se no fundo dos **rios**, diminuindo sua profundidade e facilitando os transbordamentos. / Sem a cobertura **vegetal**, o solo fica desprotegido, sujeito à **erosão**. / Em áreas **desmatadas**, mesmo que o solo seja utilizado para a **agricultura** e, com isso, receba novas **plantas**, pode ocorrer a erosão, pois plantas pequenas não protegem o solo como as maiores, que possuem **raízes** grandes. / **Folhas**, galhos e animais **mortos** em uma floresta são **decompostos**, formando o **húmus** que contribui para que a **água** da **chuva** penetre no **solo**. Sem ele, a água **escoa** rapidamente, levando **nutrientes** para o leito dos rios.

Págs. 47/48/49 — **1.** A) Sólido. B) Gasoso. C) Líquido. **2.** A) Atmosfera é a camada de ar que envolve a Terra. B) Parte líquida da Terra. **3.** Pessoal. **4.** A, C, B, C, B. **5.** A) Água doce. B) Água salgada. C) Água potável. D) Água poluída. E) Água contaminada. **6.** A) Potável.

RESPOSTAS DAS ATIVIDADES

B) Poluída. C) Líquido. D) Sólido. E) Gasoso. F) Insípida. G) Inodora. H) Incolor.

Págs. 51 — 1. O aluno deve chegar à seguinte conclusão: Ao final dos cinco dias, o pote coberto com papel-alumínio tem mais água do que o pote que ficou descoberto. O calor fez evaporar a água dos dois recipientes, mas o papel-alumínio impediu que o vapor escapasse. A água evaporou e voltou ao estado líquido novamente. Já com o pote descoberto, aconteceu o mesmo que ocorre com as poças nas ruas: o calor fez a água evaporar.

Págs. 53/54/55 — 1. Pessoal. 2. O Sol aquece a água dos rios, lagoas e oceanos. Ela sobe em forma de vapor. Formam as nuvens, que ficam carregadas de água, que caem em forma de chuva, iniciando o ciclo novamente. 3. Na **natureza** a **água** muda constantemente seu **estado** físico. / A água existente na crosta terrestre é aquecida pelo **Sol** e se transforma em **vapor**. / Esse vapor passa para a atmosfera e se **condensa**, formando as nuvens. Quando o peso da água não lhe permite mais ficar suspensa, gotas de água se formam e caem de volta para a superfície da Terra em forma de **chuva**. / O granizo, ou chuva de pedra, ocorre quando as **gotinhas** entram em contato com **ar** muito frio.

Págs. 57 — 1. A) O vapor sobe. B) O fundo do prato ficou todo molhado, cheio de gotículas de água. C) Pessoal.

Págs. 59/60/61 — 1. A) Indústrias. B) Governo. C) Poluição causada pelas pessoas. D) Agricultores. 2. A) Lixo químico, despejado pelas fábricas nos rios, que posteriormente deságuam nos oceanos. B) Navios com vazamentos, como o de petróleo e de material tóxico. C) Objetos atirados pelas pessoas nas ruas, em águas, areia da praia e que são levados para dentro dos rios, mares e oceanos. D) Fezes e urina de pessoas, papel higiênico que vêm dos esgotos das casas que não possuem saneamento básico instalado. E) Lixo jogado na rua, que é levado pela chuva aos rios, ficando poluídos. F) O óleo diesel e a graxa que saem dos carros vão para o asfalto. Com as chuvas, eles vão para os rios, mares e oceanos através do esgoto. 3. A) A água não tem sabor. B) A água não tem cor. C) A água não tem cheiro. 4. A) Pessoal. B) Aparelho que mede a quantidade de água que é consumida. C) Em grandes reservatórios. D) É a água que pode ser bebida ou usada no preparo dos alimentos. E) Pessoal. F) Pessoal. G) Pessoal. H) Cloro, flúor, sulfato de alumínio, cal. I) Servem para armazenar a água tratada. J) Cólera, hepatite, verminoses.

Págs. 63/64 — 1. A) O **solo** é a parte da crosta terrestre onde nascem e se **desenvolvem** as plantas, onde vivem as **pessoas** e os **animais**. B) O **solo** é formado por restos de **vegetais** e **animais** mortos. C) O **subsolo** é a camada que fica abaixo do solo e é formada por **rochas**, **minerais** e **água**. D) Quando fazemos **queimadas** e **desmatamentos**, o solo fica **danificado**, diminuindo sua utilidade para o plantio. 2. A) Pessoal. B) Pessoal. C) Pessoal. 3. V / V / F / V. 4. 2 / 3 / 4 / 1. 5. A) Devemos adubá-lo. B) O solo fica danificado, o que diminui sua utilidade para o plantio.

Págs. 65/66/67/68 — 1. A) Devemos **adubar** o solo para torná-lo produtivo. B) Devemos **drenar** o solo encharcado. C) Devemos **irrigar** o solo seco. D) O solo **argiloso** é úmido porque retém muita água. E) O solo **humífero** é adequado para plantações. F) O solo **arenoso** é formado por 70% de areia. 2. Eles estão falando sobre o desmatamento. antes o lugar era cheio de árvores. o homem veio e desmatou para seu próprio benefício. /Desmatamento é o processo de desaparecimento completo e permanente de florestas, atualmente causado pelo homem. / É um dos principais problemas ambientais da atualidade. é responsável pela destruição ou modificação significativa em florestas, matas e outros tipos de formação de vegetais. 3. Utilizar objetos retornáveis para reduzir ao máximo o consumo de materiais supérfluos que acabam virando lixo. / Promover plantios de árvores, preservar as matas e cuidar dos jardins públicos. / Trocar as embalagens plásticas pelas de vidros, que podem ser reutilizadas, ou papel, que se decompõem rapidamente na natureza. / Aproveitar ao máximo o que não pode ser reciclado. / Denunciar desmatamentos e queimadas / Promover e incentivar a coleta seletiva. 4. A) Erosão. B) Os solos desmatados.

Pág. 70 — 1. A água derramada sobre a areia escoou com facilidade. A água derramada sobre a argila não escoou com facilidade. A areia é um solo permeável, porque deixa a água passar com facilidade. A argila é um solo impermeável, porque não deixa a água passar com facilidade. Um solo com muita argila é chamado argiloso, e fica encharcado depois das chuvas. O solo arenoso seca depressa.

Págs. 72/73/74 — 1. As plantas são úteis ao homem. Elas servem como alimento e vestuário, mas também podem ser usadas na fabricação de perfumes, móveis, pisos, remédios, decoração e outros. 2. aérea / aquática / terrestre. 3. A) Porque nascem, crescem, reproduzem, envelhecem e morrem. B) Precisa de água, ar, luz do Sol, terra fofa e fértil. C) Retiram do solo e do ar. D) Retiram do meio em que vivem água e do ar. E) Pessoal. F) Pessoal. 4. alface / brócolis / repolho / cenoura / mandioca / salsa (ou salsinha). 5. Pessoal

Págs. 76/77/78 — 1. folha / fruto / raiz / flor / caule. 2. raiz, caule, folha, flor e fruto. 3. Fruto: guardar as sementes. Raiz: transportar água e sais minerais para as demais partes da planta. Folha: responsável pela respiração da planta. Caule: responsável pela sustentação. Flor: responsável pela reprodução. 4. Sugestão de resposta: mandioca / cana-de-açúcar / alface / couve-flor / maçã / feijão. 5. A planta estava presa ao solo retirando água e sais minerais necessários à sua sobrevivência. Ela foi retirada do solo e colocada em um vaso somente com água. Como necessita de água, ar, luz do sol, terra fofa e fértil para sobreviver, não resistiu e morreu.

Págs. 80/81/82 — 1. A) São os animais que possuem coluna vertebral. B) São animais que não possuem coluna vertebral. C) Os animais são seres vivos porque nascem, crescem, reproduzem, envelhecem e morrem. D) Sim, porque mamei quando era pequeno. 2. Pessoal. 3. alimentação / transporte / alimentação / vestuário / alimentação / alimentação. 4. carapaça / pelo / pele lisa / pele lisa / penas / escamas / penas / pelo / pelo / carapaça / escamas / escamas.

RESPOSTAS DAS ATIVIDADES

Págs. 83/84/85 — **1.** A) Esquilo, canguru, cavalo e baleia. B) Cobra. C) Tucano. D) O peixe. E) Sapo. **2.** A) Galinha. B) Aves. **3.** anfíbios. **4.** A) Aves. B) Anfíbios. C) Mamíferos. D) Répteis. E) Peixes. **5.** Anfíbio: sapo / Répteis: cobra e tartaruga / Aves: galinha, pato e pássaro / Peixe: peixe / Mamíferos: homem, cachorro, cavalo, vaca.

Págs. 86/87/88/89/90 — **1.** Pessoal.

Págs. 92/93/94/95 — **1.** Febre, dor de cabeça, fraqueza, manchas vermelhas, dores no corpo. **2.** A) Não. B) Sim. C) Sim. D) Não. E) Não. F) Sim. **3.** A) Lixo. B) Dengue. C) Plantas. D) Pneus. **4.** Na caixa-d'água aberta; nos vasos de plantas; nos pneus; nas garrafas plásticas que estão com a boca para cima; nas latas, baldes e bacias.

Págs. 97/98 — **1.** Devemos procurar um médico. **2.** Ácido acetilsalicílico – AAS. **3.** Falar sobre o mosquito transmissor da febre amarela. **4.** Catapora. **5.** Pessoal. **6.** Pessoal.

Págs. 100/101/102 — **1.** A) São animais que se alimentam de carne. Em geral, são predadores. Alimentam-se da carne de outros animais. Possuem dentes pontiagudos e dentes em forma de tesoura. B) São animais que se alimentam exclusivamente de plantas. Apresentam dentição e sistema digestório adaptados para esse tipo de alimentação. C) São animais que comem de tudo. Possuem dentes adaptados tanto para dilacerar carnes, como para mastigar plantas. **2.** A) Jacaré. B) Cachorro. C) Leão. D) Leopardo. E) Cavalo. F) Corvo. **3.** A) Vaca: herbívoro / galo e galinha: onívoros. **4.** A) Elefante: herbívoro / leão: carnívoro / urso: onívoro / girafa: herbívoro / capivara: herbívoro.

Págs. 103/104 — **1.** Pessoal. **2.** A) Linguiça e presunto / óleo, banha. B) Em materiais para laboratório, no tratamento de papéis e cordões. / em xaropes, xampus, adoçantes. C) Em queijos, iogurtes, manteigas, requeijões. **3.** A) A cartilagem. B) Burro e cavalo. C) Tubarão, baleia, ovelha, bicho-da-seda.

Págs. 105/106/107/108 — **1.** A) Decompositores. B) Produtores. C) Consumidores. D) Ocupam o final da cadeia alimentar. E) Porque eles produzem sais minerais que são aproveitados pelas plantas. F) é a representação das relações alimentares compostas pelos produtores, compositores e decompositores. **2.** A) Os fungos e as bactérias. B) As plantas. C) O gafanhoto, a ave e a cobra. D) O gafanhoto. E) Onívoro. porque se alimenta de plantas e outros animais. **3.** Pessoal.

Págs. 109/110/111/112 — **1.** Ao se alimentarem das **plantas**, os **animais** consomem o **alimento** necessário para a sua sobrevivência. A **energia** passa da planta para o animal e deste para o animal que dele se alimentar. / Pelo processo da **fotossíntese**, plantas, algas e bactérias produzem seus alimentos, eles são os **produtores**. / Os animais, como só comem e não produzem o alimento, são os **consumidores**. / Os consumidores podem ser: / **Herbívoros,** quando se alimentam só de vegetais. / **Carnívoros,** quando se alimentam apenas de outros animais. / **Onívoros,** quando se alimentam tanto de vegetais como de animais. / Alguns **fungos** e **bactérias** decompõem plantas e animais mortos. São os **decompositores**. **2.** Devem ser ligados: **Consumidores:** Homem, porco e galinha. / Podem ser herbívoros, que se alimentam de plantas; carnívoros, que se alimentam de animais; e onívoros, que se alimentam de plantas e animais. / **Produtores:** Plantas / Produzem o próprio alimento. / **Cadeia alimentar:** É a transferência de matéria entre produtores, consumidores e decompositores. / **Fotossíntese:** Processo de fabricação do alimento pela planta. / **Decompositores:** Bactérias e fungos / Decompõem as plantas e animais mortos. Ajudam a recompor e a fertilizar o solo. **3.** Pessoal.

Págs. 114/115 — **1.** A) Predatismo. B) Mutualismo ou simbiose. C) Competição. D) Inquilinismo. E) Comensalismo. F) Parasitismo. **2.** Predatismo. **3.** Parasitismo.

Págs. 117/118/119 — **1.** Pessoal. **2.** cabeça, tronco, membros superiores, membros inferiores. **3.** A) Os olhos, nariz e a boca estão localizados na cabeça. B) O coração e outros órgãos estão localizados no tronco. C) Os braços estão localizados nos membros superiores e as pernas nos membros inferiores. **4.** Ossos: matéria branca e muito dura que forma o esqueleto. Nosso corpo tem mais de duzentos ossos de vários tamanhos e formas. / Esqueleto: O esqueleto é o conjunto de ossos do nosso corpo. Ele é mais do que um simples sistema de sustentação. Os músculos se fixam aos ossos, o que nos permite ficar em pé, andar e correr. / Crânio: Fica na parte superior da coluna vertebral. Ele é uma caixa óssea que protege o cérebro. / Costelas: estão abaixo das vértebras do pescoço. Elas se unem, formando uma caixa que protege os órgãos internos, como coração e pulmões. / Pélvis ou bacia: é formada por ossos grandes e largos, que ligam os membros inferiores (pernas) à coluna vertebral.

Págs. 121/122/123 — **1.** Tomar banho / cortar unha / lavar as mãos / acordar cedo / alimentar-se bem / escovar os dentes / pentear o cabelo. **2.** A) Pessoal. B) Devemos beber muita água. C) A água é importante para nos manter hidratados. a água deve ser incolor, inodora e insípida. D) Nós devemos fervê-la ou filtrá-la. E) Devemos lavar frutas e verduras, ferver o leite, guardar alimentos na geladeira e ficar de olho na validade. F) Devemos dormir no mínimo 8 horas por dia. G) É importante para nosso crescimento e desenvolvimento além de favorecer nossa inteligência. H) Ler bons livros, ouvir boas músicas, passear e praticar esportes. **3.** Pessoal.

Págs. 125/126/127 — **1.** A) Os **músculos** são responsáveis por todos os movimentos que realizamos, sejam **voluntários,** sejam **involuntários**. B) Participam de importantes funções como a **locomoção**, a circulação, a **digestão** a excreção e de **ações** simples como **piscar** os olhos e **sorrir**. C) O nosso **corpo** possui mais de **seiscentos** músculos e muitos deles são ligados aos **ossos,** sendo chamados de **esqueléticos**. D) Alguns hábitos saudáveis são essenciais para mantê-los **resistentes** e **flexíveis**. **2.** A) Bíceps. B) Quadríceps. C) Peitoral maior. D) Abdominal. **3.** A) É um órgão responsável pelos movimentos voluntários e involuntários do corpo. B) Fazer exercícios regularmente; repousar; fazer uma alimentação saudável. C) Músculos voluntários são os que se encontram ligados ao esqueleto e são controlados pela nossa vontade. Músculos involuntários são os que funcionam de forma automática, sem a nossa vontade. **4.** contraído / distendido. **5.** A / B / B / A.

RESPOSTAS DAS ATIVIDADES

Págs. 129/130/131/132 — **1.** A) A E) Pessoal. **2.** A) Visão. B) Olhos. C) Audição. D) Ouvidos. E) Olfato. F) Nariz. G) Paladar. H) Língua. I) Tato. J) Pele. **3.** A) Tato. B) Audição. C) Tato. D) Olfato. E) Audição. F) Paladar. G) Visão. H) Audição. I) Tato. J) Paladar. K) Visão. **4.** Olhos: usar óculos quando o médico receitar; evitar esfregar os olhos com as mãos; não usar óculos de outras pessoas; não ler em local mal iluminado. / Nariz: usar lenço de papel para limpá-lo; evitar colocar o dedo no nariz. / Mãos: manter o corpo, os pés e as mãos sempre limpos e hidratados. / Orelhas: limpá-las somente com cotonete; não usar grampos nem palito. / Língua: escová-la sempre que for escovar os dentes; cuidar bem dos dentes usando escova, creme dental e fio dental.

Págs. 134/135/136/137 — **1.** Pessoal. **2.** **Reciclar** é o mesmo que **reaproveitar** materiais **orgânicos** e **inorgânicos** para serem utilizados novamente. / Os **alimentos** são considerados **orgânicos**, as sobras de alimentos como cascas de legumes e frutas também são orgânicos e podem ser **aproveitados**. / Os materiais **inorgânicos,** como garrafas de **vidro** e **plástico**, serão também reciclados. / Para contribuir com o processo de **reciclagem** o **lixo** é separado em quatro recipientes: **papel**, **metal**, **vidro**, **plástico**. **3.** Pintar: Papel/azul; Orgânico/marrom; Metal/amarelo; Vidro/verde e Plástico/vermelho. **4.** Pessoal.

Págs. 140/141/142/143 — **1.** Diagrama:

```
B A N A N A
Á G U A
L E I T E
  B R Ó C O L I S
  F E I J Ã O
    C E N O U R A
F R A N G O
      T O M A T E
    P E I X E
      S A L
```

1. Quadro: Origem vegetal: banana, brócolis, feijão, cenoura, tomate. Origem animal: peixe, frango, leite. Origem mineral: água, sal. **2.** Pessoal. **3.** carne (A) / azeite (B) / pera (B) / ovos (A) / açúcar (B) / queijo (A) / sal (C) / presunto (A) / cenoura (B) / água (C) / óleo (B) / manteiga (A). **4.** Pessoal.

Págs. 145/146/147/148 — **1.** Os dentes cortam os alimentos e trituram. A saliva mistura-se ao alimento. A língua empurra os alimentos para o esôfago. Os músculos do esôfago empurram os alimentos para o estômago. **2.** Arroz, pão, massa, batata, mandioca: base / Legumes e verduras: metade da faixa 2 / Frutas: metade da faixa 2 / Leite, queijo, iogurte: 1/3 da faixa 3 / Carnes e ovos: 1/3 da faixa 3 / Feijões e oleaginosas: 1/3 da faixa 3 / Óleos, gorduras, manteiga: metade da faixa 4 / Açúcares e doces: metade da faixa 4. **3.** Pessoal.

Págs. 149/150/151/152 — **1.** Corte ou arranhão: lavar o ferimento com água limpa e sabão; enxugar com gaze ou pano limpo; cobrir o ferimento com um pedaço de gaze ou pano limpo para evitar entrar sujeita. Se o corte ou arranhão for profundo ou se não parar de sair sangue, procurar imediatamente o pronto-socorro. Hemorragia nasal: a hemorragia nasal é a perda de sangue através do nariz. Pode ser provocada por pancadas no nariz ou algum outro motivo, como o excesso de calor. Tomar as seguintes providências: sente-se e pressione as narinas por alguns instantes, faça um tampão de algodão ou gaze e coloque-o nas narinas por alguns minutos; coloque um pano com água fria sobre o nariz. Queimaduras: uma queimadura pode ser provocada por fogo, substâncias químicas, exposição prolongada ao Sol, por objetos, líquidos ou vapores quentes. Tomar as seguintes providências; se a queimadura for provocada por substâncias químicas, lave bem o local com água corrente; se foi provocada pelo fogo, objetos, líquidos ou vapores quentes, não há necessidade de lavar, mas isso alivia a dor; queimadura provocada por Sol, dê muito líquido para a pessoa beber e deixe-a com roupas leves; jamais fure as bolhas provocadas pela queimadura; não coloque nada sobre a queimadura, só água. Em casos mais graves, procure o hospital mais próximo. **2.** A) Manter a calma, acalmar a vítima, mantê-la acordada, chamar a ambulância, afastar os curiosos e agir com rapidez. Não tirar a vítima do lugar antes de o socorro especializado chegar, não dar nada de beber a vítimas inconscientes. B) Bombeiros: 193 / Polícia Militar: 190. C) Pessoal. D) São os primeiros cuidados dados à vítima em casos de acidentes. E) Pessoal. **3.** A) Deitar a pessoa com cuidado; se ela não estiver respirando, chamar alguém que saiba fazer respiração boca a boca; chamar imediatamente socorro. B) Desligar a tomada ou a chave geral, antes de tocar na pessoa que levou o choque; se necessário, desapertar a roupa do acidentado, para que consiga respirar livremente. C) Após os primeiros socorros, o acidentado deverá ser encaminhado para um posto médico ou hospital mais próximo.